iEdutainments Limited
The Old Post House
Radford Road
Flyford Flavell
Worcestershire
WR7 4DL
England

Company Number: 7441490
First Edition: iEdutainments Ltd 2014

English Version

Illustrated by Andy Garnica

LEARNBOTS®

LEARN 101 CATALAN VERBS IN 1 DAY

with the LearnBots

by Rory Ryder

Illustrations Andy Garnica

Published by:

iEdutainments Ltd.

Introduction

Memory

When learning a language, we often have problems remembering the (key) verbs; it does not mean we have totally forgotten them. It just means that we can't recall them at that particular moment. So this book has been carefully designed to help you recall the (key) verbs and their conjugations instantly.

The Research

Research has shown that one of the most effective ways to remember something is by association. Therefore we have hidden the verb (keyword) into each illustration to act as a retrieval cue that will then stimulate your long-term memory. This method has proved 7 times more effective than just passively reading and responding to a list of verbs.

Beautiful Illustrations

The LearnBot illustrations have their own mini story, an approach beyond conventional verb books. To make the most of this book, spend time with each picture and become familiar with everything that is happening. The Pictures involve the characters, Verbito, Verbita, Cyberdog and the BeeBots, with hidden clues that give more meaning to each picture. Some pictures are more challenging than others, adding to the fun but, more importantly, aiding the memory process.

Keywords

We have called the infinitive the (keyword) to refer to its central importance in remembering the 36 ways it can be used. Once you have located the appropriate keyword and made the connection with the illustration, you can then start to learn each colour-tense.

Colour-Coded Verb Tables

The verb tables are designed to save you further valuable time by focusing all your attention on one color tense allowing you to make immediate connections between the subject and verb. Making this association clear and simple from the beginning will give you more confidence to start speaking the language.

LearnBots Animations

Each picture in this book can also be viewed as an animation for FREE. Simply visit our animations link on www.LearnBots.com

Master the Verbs

Once your confident with each colour-tense, congratulate yourself because you will have learnt over 3600 verb forms, an achievement that takes some people years to master!

So is it really possible to "Learn 101 Verbs in 1 Day"?

Well, the answer to this is yes! If you carfully look at each picture and make the connection and see the (keyword) you should be able to remember the 101 verb infinitives in just one day. Of course remembering all the conjugations is going to take you longer but by at least knowing the most important verbs you can then start to learn each tense in your own time.

Reviews

Testimonials from Heads of M.F.L. & Teachers using the books with their classes around the U.K.

"This stimulating verb book, hitherto a contradiction in terms, goes a long way to dispelling the fear of putting essential grammar at the heart of language learning at the early and intermediate stages.
Particularly at the higher level of GCSE speaking and writing, where many students find themselves at a loss for a sufficient range of verbs to express what they were/ have been/ are and will be doing, these books enhances their conviction to express themselves richly, with subtlety and accuracy.
More exciting still is the rapid progress with which new (Year 8) learners both assimilate the core vocabulary and seek to speak and write about someone other than 'I'.
The website is outstanding in its accessibility and simplicity for students to listen to the recurrent patterns of all 101 verbs from someone else's voice other than mine is a significant advantage.
I anticipate a more confident, productive and ambitious generation of linguists will benefit from your highly effective product."

Yours sincerely

Andy Smith, Head of Spanish, Salesian College

After a number of years in which educational trends favoured oral fluency over grammatical accuracy, it is encouraging to see a book which goes back to the basics and makes learning verbs less daunting and even easy.At the end of the day,verb patterns are fundamental in order to gain linguistic precision and sophistication, and thus should not be regarded as a chore but as necessary elements to achieve competence in any given language.

The colour coding in this book makes for quick identification of tenses, and the running stories provided by the pictures are an ideal mnemonic device in that they help students visualize each word. I would heartily recommend this fun verb book for use with pupils in the early stages of language learning and for revision later on in their school careers.

It can be used for teaching but also, perhaps more importantly, as a tool for independent study.The website stresses this fact as students can comfortably check the pronunciation guide from their own homes.This is a praiseworthy attempt to make Spanish verbs more easily accessible to every schoolboy and girl in the country.

Dr Josep-Lluís González Medina Head of Spanish
Eton College

We received the book in January with a request to review it - well, a free book is always worth it.We had our apprehensions as to how glitzy can a grammar book be? I mean don't they all promise to improve pupils' results and engage their interest?

So, imagine my shock when after three lessons with a mixed ability year 10 group, the majority of pupils could write the verb 'tener' in three tenses- past, present and future. It is the way this book colour codes each tense which makes it easy for the pupils to learn. With this success, I transferred the information onto PowerPoint and presented it at the start of each class as the register was taken, after which pupils were asked for the English of each verb.This again showed the majority of pupils had taken in the information.

I sent a letter home to parents explaining what the book entailed and prepared a one-off sample lesson for parents to attend. I had a turnout of 20 parents who were amazed at how easy the book was to use. In March, the book was put to the test of the dreaded OFSTED inspector. Unexpectedly, she came into my year 10 class as they were studying the pictures during the roll call - she looked quite stunned as to how many of the verbs the pupils were able to remember. I proceeded with my lesson and during the feedback session she praised this method and thought it was the way forward in MFL teaching.

Initially we agreed to keep the book for year 10's but year 11 was introduced to the book at Easter as a revision tool.They were tested at the start of each lesson on a particular tense and if unsure were given 20 seconds to concentrate on the coloured verb table and then reciting it.There was a remarkable improvement in each pupils progress.- I only wish we had have had access to the book before Christmas in order to aid them with their coursework- But with this said the school achieved great results. In reviewing the book I would say "No more boring grammar lessons!!! This book is a great tool to learning verbs through excellent illustrations.A must-have for all language learners."

Footnote:

We have now received the new format French and the students are finding it even easier to learn the verbs and we now have more free time.

Lynda McTier, Head of Spanish Lipson Community College

www.learnverbs.com

	Present	Pretèrit Imperfet	Pretèrit Perfet	Futur	Condicional	Pretèrit Indefinit
Jo	detinc	detenia	vaig detenir	detindré	detindria	he detingut
Tu	detens	detenies	vas detenir	detindràs	detindries	has detingut
Ell/Ella /Vostè	deté	detenia	va detenir	detindrà	detindria	ha detingut
Nos.	detenim	deteníem	vam detenir	detindrem	detindríem	hem detingut
Vos.	deteniu	deteníeu	vau detenir	detindreu	detindríeu	heu detingut
Ells/ Elles / Vostès	detenen	detenien	van detenir	detindran	detindrien	han detingut

ww.learnverbs.com

	Present	Pretèrit Imperfet	Pretèrit Perfet	Futur	Condicional	Pretèrit Indefinit
Jo	arribo	arribava	vaig arribar	arribaré	arribaria	he arribat
Tu	arribes	arribaves	vas arribar	arribaràs	arribaries	has arribat
ll/Ella Vostè	arriba	arribava	va arribar	arribarà	arribaria	ha arribat
Nos.	arribem	arribàvem	vam arribar	arribarem	arribaríem	hem arribat
Vos.	arribeu	arribàveu	vau arribar	arribareu	arribaríeu	heu arribat
Ells/ lles / ostès	arribem	arribaven	van arribar	arribaran	arribarien	han arribat

www.learnverbs.com

	Present	Pretèrit Imperfet	Pretèrit Perfet	Futur	Condicional	Pretèrit Indefinit
Jo	demano	demanava	vaig demanar	demanaré	demanaria	he demanat
Tu	demanes	demanaves	vas demanar	demanaràs	demanaries	has demanat
Ell/Ella /Vostè	demana	demanava	va demanar	demanarà	demanaria	ha demanat
Nos.	demanem	demanàvem	vam demanar	demanarem	demanaríem	hem demanat
Vos.	demaneu	demanàveu	vau demanar	demanareu	demanaríeu	heu demanat
Ells/ Elles / Vostès	demanen	demanaven	van demanar	demanaran	demanarien	han demanat

ww.learnverbs.com

	Present	Pretèrit Imperfet	Pretèrit Perfet	Futur	Condicional	Pretèrit Indefinit
Jo	sóc	era	vaig ésser	seré	seria	he estat
Tu	ets	eres	vas ésser	seràs	series	has estat
ll/Ella Vostè	és	era	va ésser	serà	seria	ha estat
Nos.	som	érem	vam ésser	serem	seríem	hem estat
Vos.	sou	éreu	vau ésser	sereu	seríeu	heu estat
Ells/ Elles / ostès	són	eren	van ésser	seran	serien	han estat

www.learnverbs.com

	Present	Pretèrit Imperfet	Pretèrit Perfet	Futur	Condicional	Pretèrit Indefinit
Jo	estic	estava	vaig estar	estaré	estaria	he estat
Tu	estàs	estaves	vas estar	estaràs	estaries	has esta
Ell/Ella /Vostè	està	estava	va estar	estarà	estaria	ha estat
Nos.	estem	estàvem	vam estar	estarem	estaríem	hem esta
Vos.	esteu	estàveu	vau estar	estareu	estaríeu	heu esta
Ells/ Elles / Vostès	estan	estaven	van estar	estaran	estarien	han esta

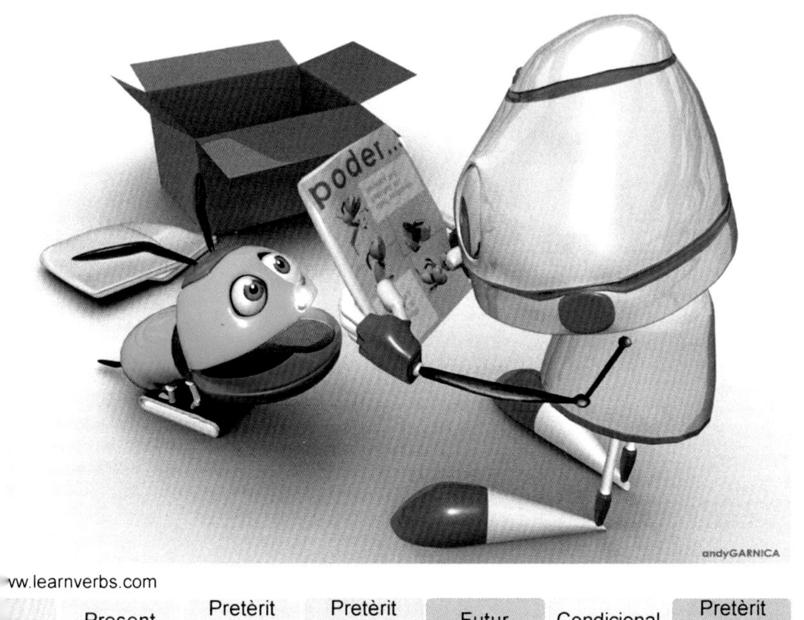

vw.learnverbs.com

	Present	Pretèrit Imperfet	Pretèrit Perfet	Futur	Condicional	Pretèrit Indefinit
Jo	puc	podia	vaig poder	podré	podria	he pogut
Tu	pots	podies	vas poder	podràs	podries	has pogut
ll/Ella Vostè	pot	podia	va poder	podrà	podria	ha pogut
Nos.	podem	podíem	vam poder	podrem	podríem	hem pogut
Vos.	podeu	podíeu	vau poder	podreu	podríeu	heu pogut
Ells/ Elles / ostès	poden	podien	van poder	podran	podrien	han pogut

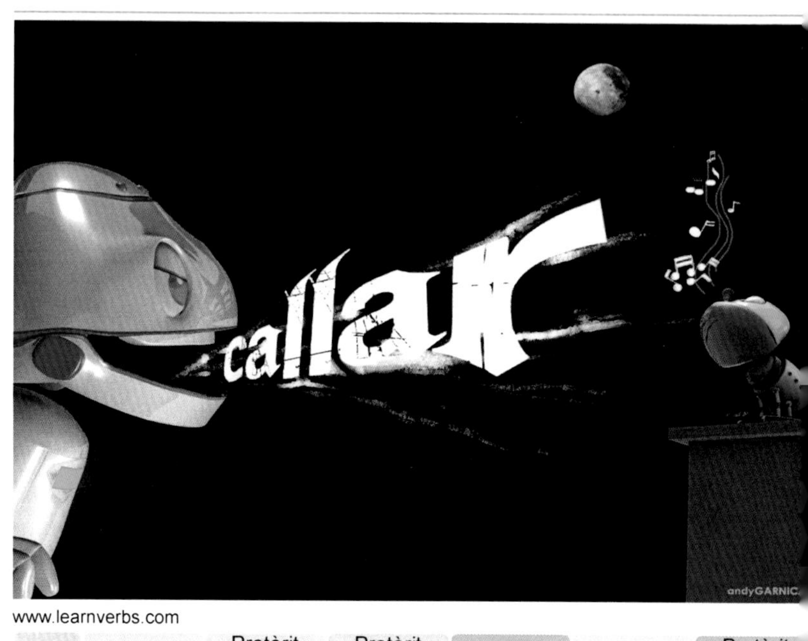

www.learnverbs.com

	Present	Pretèrit Imperfet	Pretèrit Perfet	Futur	Condicional	Pretèrit Indefinit
Jo	callo	callava	vaig callar	callaré	callaria	he calla
Tu	calles	callaves	vas callar	callaràs	callaries	has calla
Ell/Ella /Vostè	calla	callava	va callar	callarà	callaria	ha calla
Nos.	callem	callàvem	vam callar	callarem	callaríem	hem calla
Vos.	calleu	callàveu	vau callar	callareu	callaríeu	heu calla
Ells/ Elles / Vostès	callen	callaven	van callar	callaran	callarien	han calla

vw.learnverbs.com

	Present	Pretèrit Imperfet	Pretèrit Perfet	Futur	Condicional	Pretèrit Indefinit
Jo	porto	portava	vaig portar	portaré	portaria	he portat
Tu	portes	portaves	vas portar	portaràs	portaries	has portat
ll/Ella /ostè	porta	potava	va portar	portarà	portaria	ha portat
Nos.	portem	poràvem	vam portar	portarem	portaríem	hem portat
/os.	porteu	portàveu	vau portar	portareu	portaríeu	heu portat
Ells/ lles / ostès	porten	portaven	van portar	portaran	portarien	han portat

andyGARNICA

www.learnverbs.com

	Present	Pretèrit Imperfet	Pretèrit Perfet	Futur	Condicional	Pretèrit Indefinit
Jo	construeixo	construïa	vaig construir	construiré	construiria	he construï
Tu	construeixes	construïes	vas construir	construiràs	construiries	has construï
Ell/Ella /Vostè	construeix	construïa	va construir	construirà	construiria	ha construï
Nos.	construïm	construíem	vam construir	construirem	construirem	hem construï
Vos.	construïu	construíeu	vau construir	construireu	construiríeu	heu construï
Ells/ Elles / Vostès	construeixen	construïen	van construir	construiran	construirien	han construï

vw.learnverbs.com

	Present	Pretèrit Imperfet	Pretèrit Perfet	Futur	Condicional	Pretèrit Indefinit
Jo	compro	comprava	vaig comprar	compraré	compraria	he comprat
Tu	compres	compraves	vas comprar	compraràs	compraries	has comprat
ll/Ella /ostè	compra	comprava	va comprar	comprarà	compraria	ha comprat
los.	comprem	compràvem	vam comprar	comprarem	compraríem	hem comprat
/os.	compreu	compràveu	vau comprar	comprareu	compraríeu	heu comprat
Ells/ lles / ostès	compren	compraven	van comprar	compraran	comprarien	han comprat

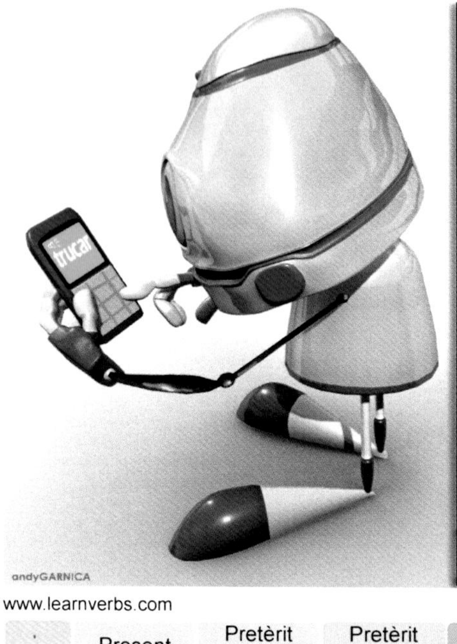

www.learnverbs.com

	Present	Pretèrit Imperfet	Pretèrit Perfet	Futur	Condicional	Pretèrit Indefinit
Jo	truco	trucava	vaig trucar	trucaré	trucaria	he trunca
Tu	truques	trucaves	vas trucar	trucaràs	trucaries	has truncat
Ell/Ella /Vostè	truca	trucava	va trucar	trucarà	trucaria	ha trunca
Nos.	truquem	trucàvem	vam trucar	trucarem	trucaríem	hem truncat
Vos.	truqueu	trucàveu	vau trucar	trucareu	trucaríeu	heu truncat
Ells/ Elles / Vostès	truquen	trencaven	van trucar	trucaran	trucarien	han truncat

vw.learnverbs.com

	Present	Pretèrit Imperfet	Pretèrit Perfet	Futur	Condicional	Pretèrit Indefinit
Jo	porto	portava	vaig portar	portaré	portaria	he portat
Tu	portes	portaves	vas portar	portaràs	portaries	has portat
ll/Ella /ostè	porta	portava	va portar	portarà	portaria	ha portat
ℷos.	portem	portàvem	vam portar	portarem	portaríem	hem portat
/os.	porteu	portàveu	vau portar	portareu	portaríeu	heu portat
Ells/ :lles / ostès	porten	portaven	van portar	portaran	portarien	han portat

www.learnverbs.com

	Present	Pretèrit Imperfet	Pretèrit Perfet	Futur	Condicional	Pretèrit Indefinit
Jo	canvio	canviava	vaig canviar	canviaré	canviaria	he canvia
Tu	canvies	canviaves	vas canviar	canviaràs	canviaries	has canvia
Ell/Ella /Vostè	canvia	canviava	va canviar	canviarà	canviaria	ha canvia
Nos.	canviem	canviàvem	vam canviar	canviarem	canviaríem	hem canviat
Vos.	canvieu	canviàveu	vau canviar	canviareu	canviaríeu	heu canviat
Ells/ Elles / Vostès	canvien	canviaven	van canviar	canviaran	canviarien	han canviat

vw.learnverbs.com

	Present	Pretèrit Imperfet	Pretèrit Perfet	Futur	Condicional	Pretèrit Indefinit
Jo	netejo	netejava	vaig netejar	netejaré	netejaria	he netejat
Tu	neteges	netejaves	vas netejar	netejaràs	netejaries	has netejat
l/Ella /ostè	neteja	netejava	va netejar	netejarà	netejaria	ha netejat
Nos.	netegem	netejàvem	vam netejar	netejarem	netejaríem	hem netejat
/os.	netegeu	netejàveu	vau netejar	netejareu	netejaríeu	heu netejat
Ells/ lles / ostès	netegen	netejaven	van netejar	netejaran	netejarien	han netejat

www.learnverbs.com

	Present	Pretèrit Imperfet	Pretèrit Perfet	Futur	Condicional	Pretèrit Indefinit
Jo	tanco	tancava	vaig tancar	tancaré	tancaria	he tanca
Tu	tanques	tancaves	vas tancar	tancaràs	tancaries	has tancat
Ell/Ella /Vostè	tanca	tancava	va tancar	tancarà	tancaria	ha tanca
Nos.	tanquem	tancàvem	vam tancar	tancarem	tancaríem	hem tancat
Vos.	tanqueu	tancàveu	vau tancar	tancareu	tancaríeu	heu tancat
Ells/ Elles / Vostès	tanquen	tancaven	van tancar	tancaran	tancarien	han tancat

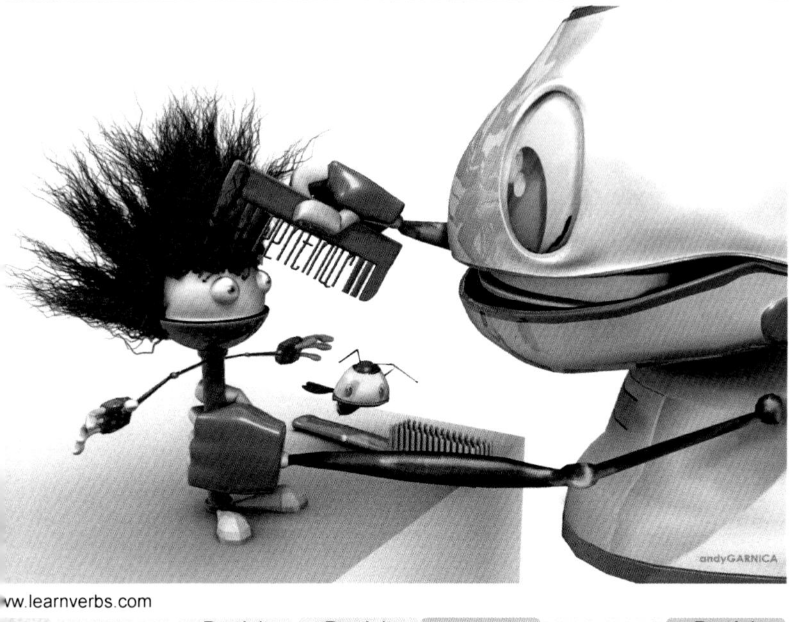

vw.learnverbs.com

	Present	Pretèrit Imperfet	Pretèrit Perfet	Futur	Condicional	Pretèrit Indefinit
Jo	pentino	pentinava	vaig pentinar	pentinaré	pentinaria	he pentinat
Tu	pentines	pentinaves	vas pentinar	pentinaràs	pentinaries	has pentinat
l/Ella /ostè	pentina	pentinava	va pentinar	pentinarà	pentinaria	ha pentinat
Nos.	pentinem	pentinàvem	vam pentinar	pentinarem	pentinaríem	hem pentinat
/os.	pentineu	pentinàveu	vau pentinar	pentinareu	pentinaríeu	heu pentinat
Ells/ lles / ostès	pentinen	pentinaven	van pentinar	pentinaran	pentinarien	han pentinat

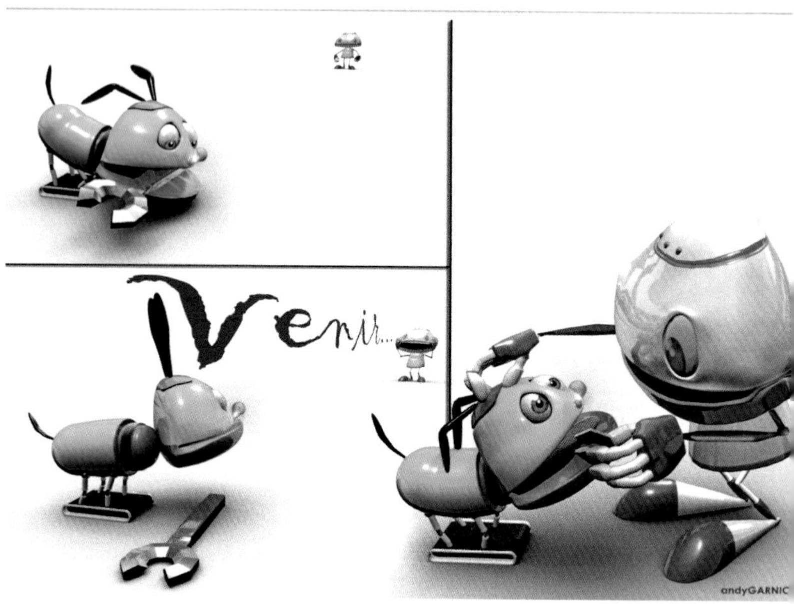

www.learnverbs.com

	Present	Pretèrit Imperfet	Pretèrit Perfet	Futur	Condicional	Pretèrit Indefinit
Jo	vinc	venia	vaig venir	vindré	vindria	he vingu
Tu	véns	venies	vas venir	vindràs	vindries	has vingu
Ell/Ella /Vostè	ve	venia	va venir	vindrà	vindria	ha vingu
Nos.	venim	veníem	vam venir	vindrem	vindríem	hem vingut
Vos.	veniu	veníeu	vau venir	vindreu	vindríeu	heu vingut
Ells/ Elles / Vostès	vénen	venien	van venir	vindran	vindrien	han vingut

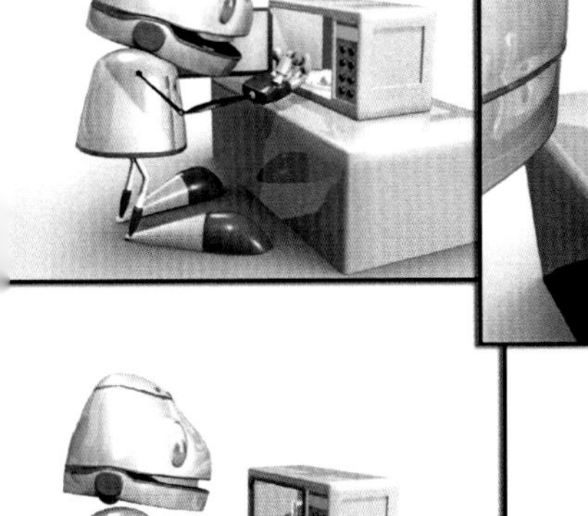

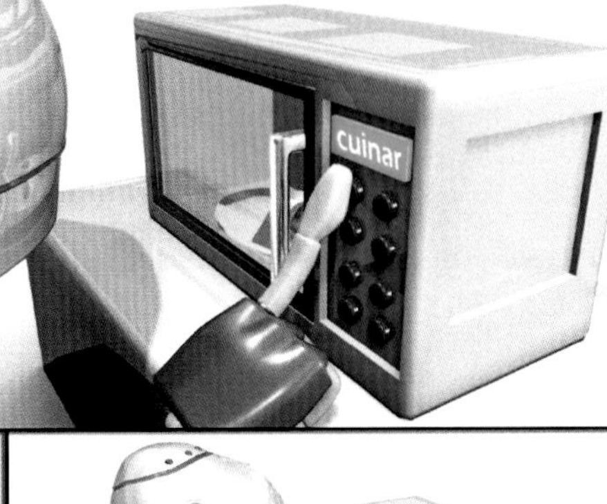

vw.learnverbs.com

	Present	Pretèrit Imperfet	Pretèrit Perfet	Futur	Condicional	Pretèrit Indefinit
Jo	cuino	cuinava	vaig cuinar	cuinaré	cuinaria	he cuinat
Tu	cuines	cuinaves	vas cuinar	cuinaràs	cuinaries	has cuinat
l/Ella /ostè	cuina	cuinava	va cuinar	cuinarà	cuinaria	ha cuinat
Nos.	cuinem	cuinàvem	vam cuinar	cuinarem	cuinaríem	hem cuinat
/os.	cuineu	cuinàveu	vau cuinar	cuinareu	cuinaríeu	heu cuinat
Ells/ lles / ostès	cuinen	cuinaven	van cuinar	cuinaran	cuinarien	han cuinat

www.learnverbs.com

	Present	Pretèrit Imperfet	Pretèrit Perfet	Futur	Condicional	Pretèrit Indefinit
Jo	compto	comptava	vaig comptar	comptaré	comptaria	he comptat
Tu	comptes	comptaves	vas comptar	comptaràs	comptaries	has comptat
Ell/Ella /Vostè	compta	comptava	va comptar	comptarà	comptaria	ha comptat
Nos.	comptem	comptàvem	vam comptar	comptarem	comptaríem	hem comptat
Vos.	compteu	comptàveu	vau comptar	comptareu	comptaríeu	heu comptat
Ells/ Elles / Vostès	compten	comptaven	van comptar	comptaran	comptarien	han comptat

vw.learnverbs.com

	Present	Pretèrit Imperfet	Pretèrit Perfet	Futur	Condicional	Pretèrit Indefinit
Jo	xoco	xocava	vaig xocar	xocaré	xocaria	he xocat
Tu	xoques	xocaves	vas xocar	xocaràs	xocaries	has xocat
l/Ella /ostè	xoca	xocava	va xocar	xocarà	xocaria	ha xocat
Nos.	xoquem	xocàvem	vam xocar	xocarem	xocaríem	hem xocat
Vos.	xoqueu	xocàveu	vau xocar	xocareu	xocaríeu	heu xocat
Ells/ lles / ostès	xoquen	xocaven	van xocar	xocaran	xocarien	han xocat

	Present	Pretèrit Imperfet	Pretèrit Perfet	Futur	Condicional	Pretèrit Indefinit
Jo	creo	creava	vaig crear	crearé	crearia	he creat
Tu	crees	creaves	vas crear	crearàs	crearies	has crea
Ell/Ella /Vostè	crea	creava	va crear	crearà	crearia	ha creat
Nos.	creem	creàvem	vam crear	crearem	crearíem	hem crea
Vos.	creeu	creàveu	vau crear	creareu	crearíeu	heu crea
Ells/ Elles / Vostès	creen	creaven	van crear	crearan	crearien	han crea

vw.learnverbs.com

	Present	Pretèrit Imperfet	Pretèrit Perfet	Futur	Condicional	Pretèrit Indefinit
Jo	tallo	tallava	vaig tallar	tallaré	tallaria	he tallat
Tu	talles	tallaves	vas tallar	tallaràs	tallaries	has tallat
l/Ella /ostè	talla	tallava	va tallar	tallarà	tallaria	ha tallat
Nos.	tallem	tallàvem	vam tallar	tallarem	tallaríem	hem tallat
/os.	talleu	tallàveu	vau tallar	tallareu	tallaríeu	heu tallat
Ells/ lles / ostès	tallen	tallaven	van tallar	tallaran	tallarien	han tallat

www.learnverbs.com

	Present	Pretèrit Imperfet	Pretèrit Perfet	Futur	Condicional	Pretèrit Indefinit
Jo	ballo	ballava	vaig ballar	ballaré	ballaria	he balla
Tu	balles	ballaves	vas ballar	ballaràs	ballaries	has balla
Ell/Ella /Vostè	balla	ballava	va ballar	ballarà	ballaria	ha balla
Nos.	ballem	ballàvem	vam ballar	ballarem	ballaríem	hem balla
Vos.	balleu	ballàveu	vau ballar	ballareu	ballaríeu	heu balla
Ells/ Elles / Vostès	ballen	ballaven	van ballar	ballaran	ballarien	han balla

andyGARNICA

vw.learnverbs.com

	Present	Pretèrit Imperfet	Pretèrit Perfet	Futur	Condicional	Pretèrit Indefinit
Jo	decideixo	decidia	vaig decidir	decidiré	decidiria	he decidit
Tu	decideixes	decidies	vas decidir	decidiràs	decidiries	has decidit
l/Ella Vostè	decideix	decidia	va decidir	decidirà	decidiria	ha decidit
Nos.	decidim	decidíem	vam decidir	decidirem	decidiríem	hem decidit
Vos.	decidiu	decidíeu	vau decidir	decidireu	decidiríeu	heu decidit
Ells/ lles / ostès	decideixen	decidien	van decidir	decidiran	decidirien	han decidit

www.learnverbs.com

	Present	Pretèrit Imperfet	Pretèrit Perfet	Futur	Condicional	Pretèrit Indefinit
Jo	dirigeixo	dirigia	vaig dirigir	dirigiré	dirigiria	he dirigi
Tu	dirigeixes	dirigies	vas dirigir	dirigiràs	dirigiries	has dirig
Ell/Ella /Vostè	dirigeix	dirigia	va dirigir	dirigirà	dirigiria	ha dirigi
Nos.	dirigim	dirigíem	vam dirigir	dirigirem	dirigiríem	hem dirigit
Vos.	dirigiu	dirigíeu	vau dirigir	dirigireu	dirigiríeu	heu dirig
Ells/ Elles / Vostès	dirigeixen	dirigien	van dirigir	dirigiran	dirigirien	han dirig

ww.learnverbs.com

	Present	Pretèrit Imperfet	Pretèrit Perfet	Futur	Condicional	Pretèrit Indefinit
Jo	somio	somiava	vaig somiar	somiaré	somiaria	he somiat
Tu	somies	somiaves	vas somiar	somiaràs	somiaries	has somiat
l/Ella /ostè	somia	somiava	va somiar	somiarà	somiaria	ha somiat
Jos.	somiem	somiàvem	vam somiar	somiarem	somiaríem	hem somiat
/os.	somieu	somiàveu	vau somiar	somiareu	somiaríeu	heu somiat
Ells/ lles / ostès	somien	somiaven	van somiar	somiaran	somiarien	han somiat

www.learnverbs.com

	Present	Pretèrit Imperfet	Pretèrit Perfet	Futur	Condicional	Pretèrit Indefinit
Jo	bec	bevia	vaig beure	beuré	beuria	he begu
Tu	beus	bevies	vas beure	beuràs	beuries	has begu
Ell/Ella /Vostè	beu	bevia	va beure	beurà	beuria	ha begu
Nos.	bevem	bevíem	vam beure	beurem	beuríem	hem begut
Vos.	beveu	bevíeu	vau beure	beureu	beuríeu	heu begu
Ells/ Elles / Vostès	beuen	bevien	van beure	beuran	beurien	han begu

vw.learnverbs.com

	Present	Pretèrit Imperfet	Pretèrit Perfet	Futur	Condicional	Pretèrit Indefinit
Jo	condueixo	conduïa	vaig conduir	conduiré	conduiria	he conduït
Tu	condueixes	conduïes	vas conduir	conduiràs	conduiries	has conduït
l/Ella /ostè	condueix	conduïa	va conduir	conduirà	conduiria	ha conduït
Nos.	conduïm	conduíem	vam conduir	conduirem	conduiríem	hem conduït
/os.	conduïu	conduíeu	vau conduir	conduireu	conduiríeu	heu conduït
Ells/ lles / ostès	condueixen	conduïen	van conduir	conduiran	conduirien	han conduït

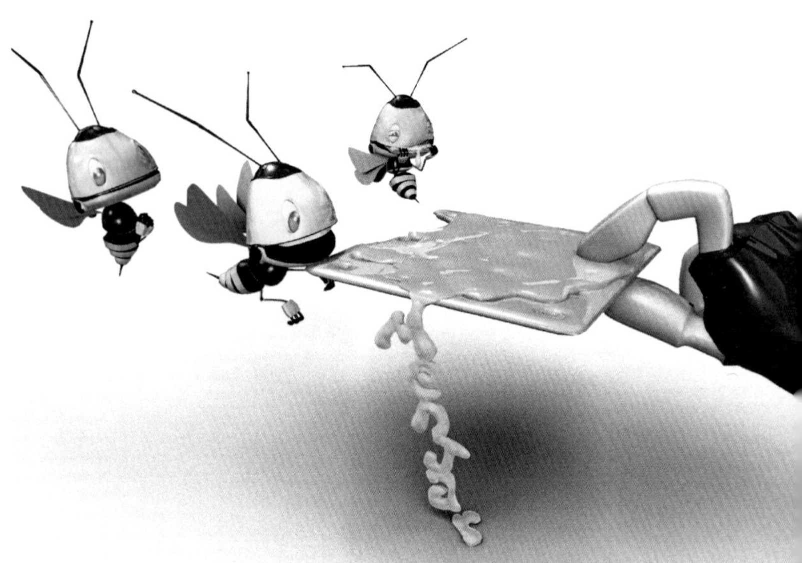

www.learnverbs.com

	Present	Pretèrit Imperfet	Pretèrit Perfet	Futur	Condicional	Pretèrit Indefinit
Jo	menjo	menjava	vaig menjar	menjaré	menjaria	he menj
Tu	menges	menjaves	vas menjar	menjaràs	menjaries	has menjat
Ell/Ella /Vostè	menja	menjava	va menjar	menjarà	menjaria	ha menj
Nos.	mengem	menjàvem	vam menjar	menjarem	menjaríem	hem menjat
Vos.	mengeu	menjàveu	vau menjar	menjareu	menjaríeu	heu menjat
Ells/ Elles / Vostès	mengen	menjaven	van menjar	menjaran	menjarien	han menjat

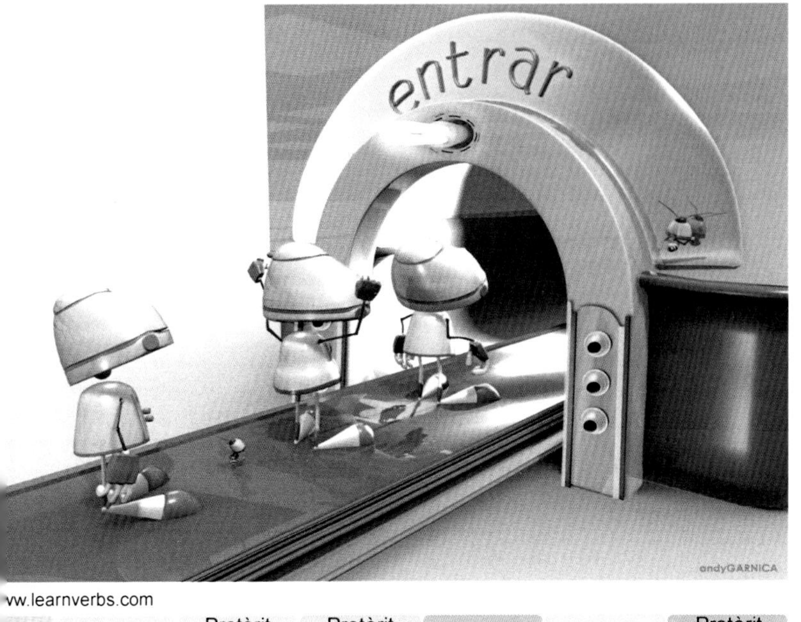

ww.learnverbs.com

	Present	Pretèrit Imperfet	Pretèrit Perfet	Futur	Condicional	Pretèrit Indefinit
Jo	entro	entrava	vaig entrar	entraré	entraria	he entrat
Tu	entres	entraves	vas entrar	entraràs	entraries	has entrat
l/Ella /ostè	entra	entrava	va entrar	entrarà	entraria	ha entrat
los.	entrem	entràvem	vam entrar	entrarem	entraríem	hem entrat
/os.	entreu	entràveu	vau entrar	entrareu	entraríeu	heu entrat
Ells/ lles / ostès	entren	entraven	van entrar	entraran	entrarien	han entrat

www.learnverbs.com

	Present	Pretèrit Imperfet	Pretèrit Perfet	Futur	Condicional	Pretèrit Indefinit
Jo	caic	queia	vaig caure	cauré	cauria	he caigu
Tu	caus	queies	vas caure	cauràs	cauries	has caig
Ell/Ella /Vostè	cau	queia	va caure	caurà	cauria	ha caigu
Nos.	caiem	quèiem	vam caure	caurem	cauríem	hem caigut
Vos.	caieu	quèieu	vau caure	caureu	cauríeu	heu caigut
Ells/ Elles / Vostès	cauen	queien	van caure	cauran	caurien	han caigut

ww.learnverbs.com

	Present	Pretèrit Imperfet	Pretèrit Perfet	Futur	Condicional	Pretèrit Indefinit
Jo	lluito	lluitava	vaig lluitar	lluitare	lluitaria	he lluitat
Tu	lluites	lluitaves	vas lluitar	lluitaràs	lluitaries	has lluitat
l/Ella /ostè	lluita	lluitava	va lluitar	lluitara	lluitaria	ha lluitat
Nos.	lluitem	lluitàvem	vam lluitar	lluitarem	lluitaríem	hem lluitat
Vos.	lluiteu	lluitàveu	vau lluitar	lluitareu	lluitaríeu	heu lluitat
Ells/ lles / ostès	lluiten	lluitaven	van lluitar	lluitaran	lluitarien	han lluitat

www.learnverbs.com

	Present	Pretèrit Imperfet	Pretèrit Perfet	Futur	Condicional	Pretèrit Indefinit
Jo	trobo	trobava	vaig trobar	trobaré	trobaria	he troba
Tu	trobes	trobaves	vas trobar	trobaràs	trobaries	has troba
Ell/Ella /Vostè	troba	trobava	va trobar	trobarà	trobarien	ha troba
Nos.	trobem	trobàvem	vam trobar	trobarem	trobaríem	hem trobat
Vos.	trobeu	trobàveu	vau trobar	trobareu	trobaríeu	heu troba
Ells/ Elles / Vostès	troben	trobaven	van trobar	trobaran	trobarien	han troba

vw.learnverbs.com

	Present	Pretèrit Imperfet	Pretèrit Perfet	Futur	Condicional	Pretèrit Indefinit
Jo	acabo	acabava	vaig acabar	acabaré	acabaria	he acabat
Tu	acabes	acabaves	vas acabar	acabaràs	acabaries	has acabat
l/Ella /ostè	acaba	acabava	va acabar	acabarà	acabaria	ha acabat
Nos.	acabem	acabàvem	vam acabar	acabarem	acabaríem	hem acabat
/os.	acabeu	acabàveu	vau acabar	acabareu	acabaríeu	heu acabat
Ells/ lles / ostès	acaben	acabaven	van acabar	acabaran	acabarien	han acabat

andyGARNICA

www.learnverbs.com

	Present	Pretèrit Imperfet	Pretèrit Perfet	Futur	Condicional	Pretèrit Indefinit
Jo	segueixo	seguia	vaig seguir	seguiré	seguiria	he segu
Tu	segueixes	seguies	vas seguir	seguiràs	seguiries	has segu
Ell/Ella /Vostè	segueix	seguia	va seguir	seguirà	seguiria	ha segu
Nos.	seguim	seguíem	vam seguir	seguirem	seguiríem	hem seguit
Vos.	seguiu	seguíeu	vau seguir	seguireu	seguiríeu	heu seguit
Ells/ Elles / Vostès	segueixen	seguien	van seguir	seguireu	seguirien	han seguit

vw.learnverbs.com

	Present	Pretèrit Imperfet	Pretèrit Perfet	Futur	Condicional	Pretèrit Indefinit
Jo	prohibeixo	prohibia	vaig prohibir	prohibiré	prohibiria	he prohibit
Tu	prohibeixes	prohibies	vas prohibir	prohibiràs	prohibiries	has prohibit
l/Ella /ostè	prohibeix	prohibia	va prohibir	prohibirà	prohibiria	ha prohibit
los.	prohibim	prohibíem	vam prohibir	prohibirem	prohibiríem	hem prohibit
/os.	prohibiu	prohibíeu	vau prohibir	prohibireu	prohibiríeu	heu prohibit
Ells/ lles / ostès	prohibeixen	prohibien	van prohibir	prohibiran	prohibirien	han prohibit

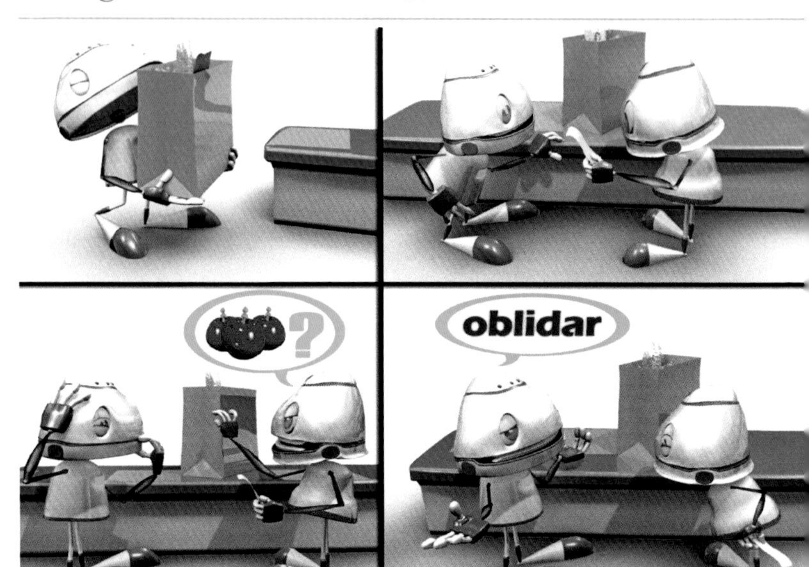

www.learnverbs.com

	Present	Pretèrit Imperfet	Pretèrit Perfet	Futur	Condicional	Pretèrit Indefinit
Jo	oblido	oblidava	vaig oblidar	oblidaré	oblidaria	he oblida
Tu	oblides	oblidaves	vas oblidar	oblidaràs	oblidaries	has oblidat
Ell/Ella /Vostè	oblida	oblidava	va oblidar	oblidarà	oblidaria	ha oblida
Nos.	oblidem	oblidàvem	vam oblidar	oblidarem	oblidaríem	hem oblidat
Vos.	oblideu	oblidàveu	vau oblidar	oblidareu	oblidaríeu	heu oblidat
Ells/ Elles / Vostès	obliden	oblidaven	van oblidar	oblidaran	oblidarien	han oblidat

vw.learnverbs.com

	Present	Pretèrit Imperfet	Pretèrit Perfet	Futur	Condicional	Pretèrit Indefinit
Jo	em vesteixo	em vestia	em vaig vestir	em vestiré	em vestiria	m'he vestit
Tu	et vesteixes	et vesties	et vas vestir	et vestiràs	et vestiries	t'has vestit
l/Ella /ostè	es vesteix	es vestia	es va vestir	es vestirà	es vestiria	s'ha vestit
los.	ens vestim	ens vestíem	ens vam vestir	ens vestirem	ens vestiríem	ens hem vestit
/os.	us vestiu	us vestíeu	us vau vestir	us vestireu	us vestiríeu	us heu vestit
Ells/ lles / ostès	es vesteixen	es vestien	es van vestir	es vestiran	es vestirien	s'han vestit

www.learnverbs.com

	Present	Pretèrit Imperfet	Pretèrit Perfet	Futur	Condicional	Pretèrit Indefinit
Jo	em caso	em casava	em vaig casar	em casaré	em casaria	m'he casat
Tu	et cases	et casaves	et vas casar	et casaràs	et casaries	t'has casat
Ell/Ella /Vostè	es casa	es casava	es va casar	es casarà	es casaria	s'ha casa
Nos.	ens casem	ens casàvem	ens vam casar	ens casarem	ens casaríem	ens hen casat
Vos.	us caseu	us casàveu	us vau casar	us casareu	us casaríeu	us heu casat
Ells/ Elles / Vostès	es casen	es casaven	es van casar	es casaran	es casarien	s'han casat

ʌw.learnverbs.com

	Present	Pretèrit Imperfet	Pretèrit Perfet	Futur	Condicional	Pretèrit Indefinit
Jo	dono	donava	vaig donar	donaré	donaria	he donat
Tu	dónes	donaves	vas donar	donaràs	donaries	has donat
l/Ella /ostè	dóna	donava	va donar	donarà	donaria	ha donat
Nos.	donem	donàvem	vam donar	donarem	donaríem	hem donat
/os.	doneu	donàveu	vau donar	donareu	donaríeu	heu donat
Ells/ lles / ostès	donen	donaven	van donar	donaran	donarien	han donat

www.learnverbs.com

	Present	Pretèrit Imperfet	Pretèrit Perfet	Futur	Condicional	Pretèrit Indefinit
Jo	vaig	anava	vaig anar	aniré	aniria	he anat
Tu	vas	anaves	vas anar	aniràs	aniries	has ana
Ell/Ella /Vostè	va	anava	va anar	anirà	aniria	ha anat
Nos.	anem	anàvem	vam anar	anirem	aniríem	hem ana
Vos.	aneu	anàveu	vau anar	anireu	aniríeu	heu ana
Ells/ Elles / Vostès	van	anaven	van anar	aniran	anirien	han ana

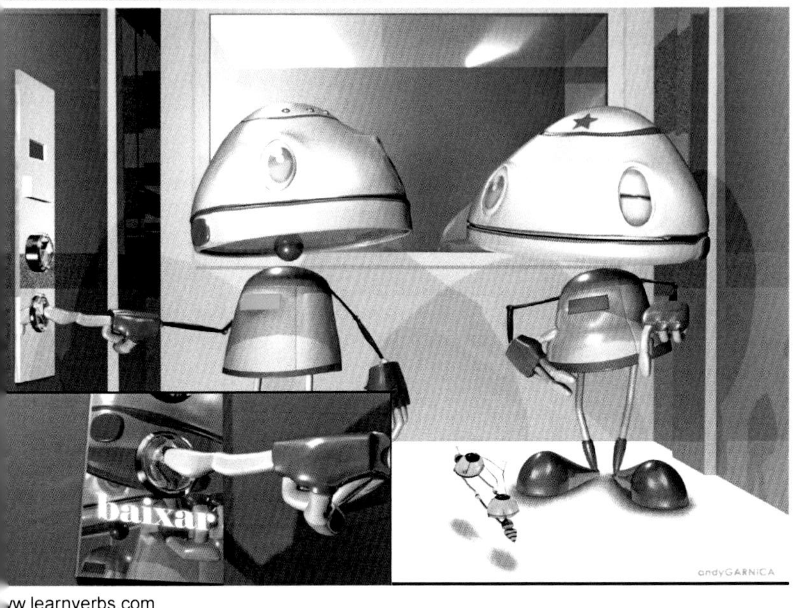

	Present	Pretèrit Imperfet	Pretèrit Perfet	Futur	Condicional	Pretèrit Indefinit
Jo	baixo	baixava	vaig baixar	baixaré	baixaria	he baixat
Tu	baixes	baixaves	vas baixar	baixaràs	baixaries	has baixat
l/Ella /ostè	baixa	baixava	va baixar	baixarà	baixaria	ha baixat
Ios.	baixem	baixàvem	vam baixar	baixarem	baixaríem	hem baixat
'os.	baixeu	baixàveu	vau baixar	baixareu	baixaríeu	heu baixat
Ells/ lles / ostès	baixen	baixaven	van baixar	baixaran	baixarien	han baixat

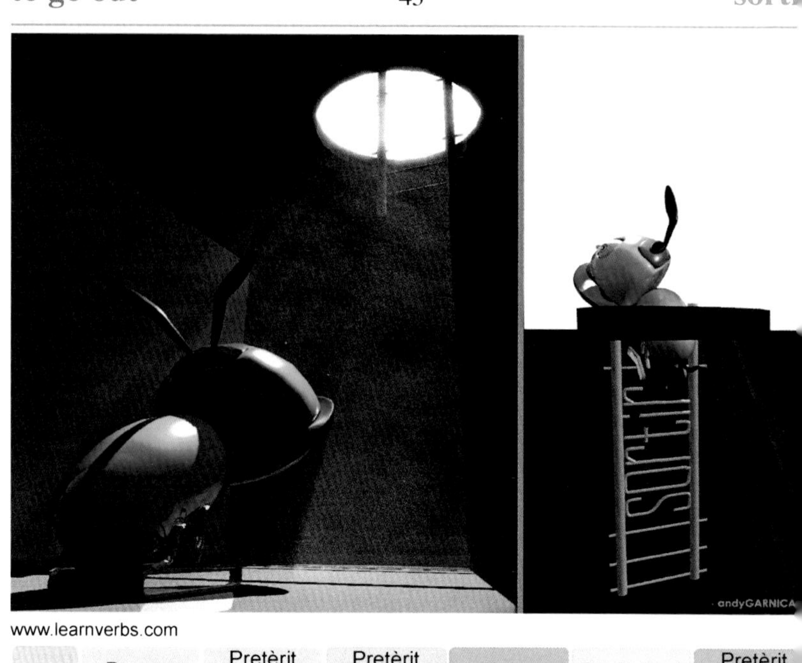

www.learnverbs.com

	Present	Pretèrit Imperfet	Pretèrit Perfet	Futur	Condicional	Pretèrit Indefinit
Jo	surto	sortia	vaig sortir	sortire	sortiria	he sortit
Tu	surts	sorties	vas sortir	sortiràs	sortiries	has sorti
Ell/Ella /Vostè	surt	sortia	va sortir	sortira	sortiria	ha sorti
Nos.	sortim	sortíem	vam sortir	sortirem	sortiríem	hem sort
Vos.	sortiu	sortíeu	vau sortir	sortireu	sortiríeu	heu sort
Ells/ Elles / Vostès	surten	sortien	van sortir	sortiran	sortirien	han sort

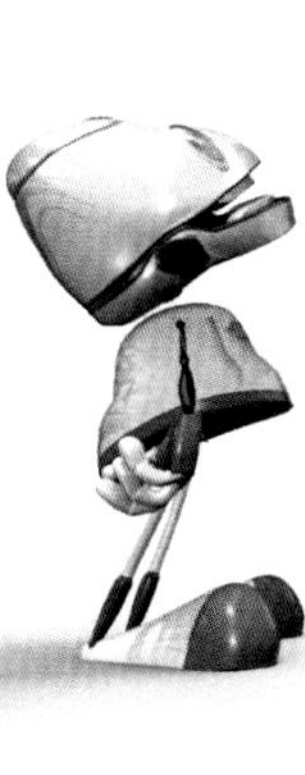

andyGARNICA

vw.learnverbs.com

	Present	Pretèrit Imperfet	Pretèrit Perfet	Futur	Condicional	Pretèrit Indefinit
Jo	creixo	creixia	vaig créixer	creixeré	creixeria	he crescut
Tu	creixes	creixies	vas créixer	creixeràs	creixeries	has crescut
l/Ella /ostè	creix	creixia	va créixer	creixerà	creixeria	ha crescut
Nos.	creixem	creixíem	vam créixer	creixerem	creixeríem	hem crescut
/os.	creixeu	creixíeu	vau créixer	creixereu	creixeríeu	heu crescut
Ells/ lles / ostès	creixen	creixen	van créixer	creixeran	creixerien	han crescut

www.learnverbs.com

	Present	Pretèrit Imperfet	Pretèrit Perfet	Futur	Condicional	Pretèrit Indefinit
Jo	tinc	tenia	vaig tenir	tindré	tindria	he tingu
Tu	tens	tenies	vas tenir	tindràs	tindries	has ting
Ell/Ella /Vostè	té	tenia	va tenir	tindrà	tindria	ha tingu
Nos.	tenim	teníem	vam tenir	tindrem	tindríem	hem tingut
Vos.	teniu	teníeu	vau tenir	tindreu	tindríeu	heu ting
Ells/ Elles / Vostès	tenen	tenien	van tenir	tindran	tindrien	han ting

vw.learnverbs.com

	Present	Pretèrit Imperfet	Pretèrit Perfet	Futur	Condicional	Pretèrit Indefinit
Jo	sento	sentia	vaig sentir	sentiré	sentiria	he sentit
Tu	sents	senties	vas sentir	sentiràs	sentiries	has sentit
l/Ella /ostè	sent	sentia	va sentir	sentirà	sentiria	ha sentit
ɿos.	sentim	sentíem	vam sentir	sentirem	sentiríem	hem sentit
/os.	sentiu	sentíeu	vau sentir	sentireu	sentiríeu	heu sentit
Ells/ lles / ɔstès	senten	sentien	van sentir	sentiran	sentirien	han sentit

www.learnverbs.com

	Present	Pretèrit Imperfet	Pretèrit Perfet	Futur	Condicional	Pretèrit Indefinit
Jo	salto	saltava	vaig saltar	saltaré	saltaria	he salta
Tu	saltes	saltaves	vas saltar	saltaràs	saltaries	has salta
Ell/Ella /Vostè	salta	saltava	va saltar	saltarà	saltaria	ha salta
Nos.	saltem	saltàvem	vam saltar	saltarem	saltaríem	hem saltat
Vos.	salteu	saltàveu	vau saltar	saltareu	saltaríeu	heu salta
Ells/ Elles / Vostès	salten	saltaven	van saltar	saltaran	saltarien	han salta

vw.learnverbs.com

	Present	Pretèrit Imperfet	Pretèrit Perfet	Futur	Condicional	Pretèrit Indefinit
Jo	xuto	xutava	vaig xutar	xutaré	xutaria	he xutat
Tu	xutes	xutaves	vas xutar	xutaràs	xutaries	has xutat
l/Ella 'ostè	xuta	xutava	va xutar	xutarà	xutaria	ha xutat
los.	xutem	xutàvem	vam xutar	xutarem	xutaríem	hem xutat
'os.	xuteu	xutàveu	vau xutar	xutareu	xutaríeu	heu xutat
Ells/ lles / ostès	xuten	xutaven	van xutar	xutaran	xutarien	han xutat

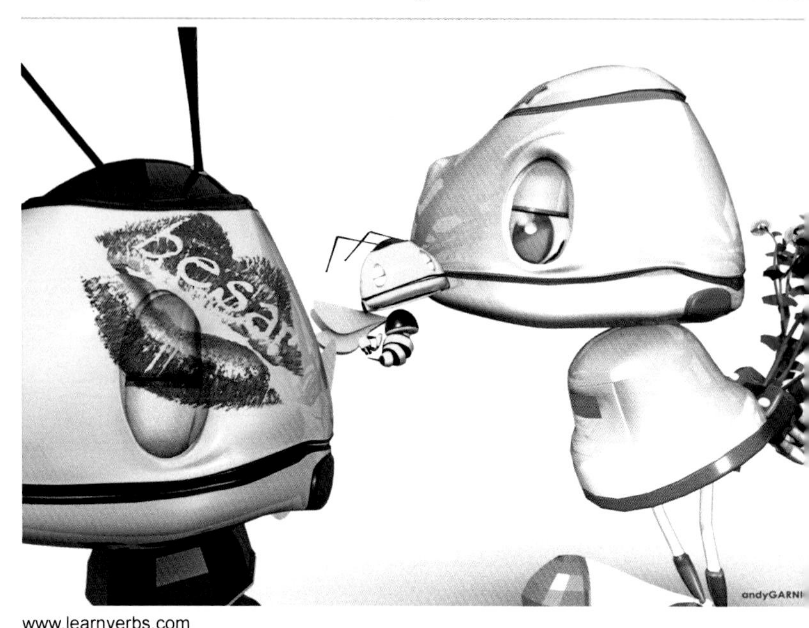

www.learnverbs.com

	Present	Pretèrit Imperfet	Pretèrit Perfet	Futur	Condicional	Pretèrit Indefinit
Jo	beso	besava	besaré	besaria	besaria	he besa
Tu	beses	besaves	besaràs	besaries	besaries	has besa
Ell/Ella /Vostè	besa	besava	besarà	besaria	besaria	ha besa
Nos.	besem	besàvem	besarem	besaríem	besaríem	hem besat
Vos.	beseu	besàveu	besareu	besaríeu	besaríeu	heu besa
Ells/ Elles / Vostès	besen	besaven	besaran	besarien	besarien	han besa

ww.learnverbs.com

	Present	Pretèrit Imperfet	Pretèrit Perfet	Futur	Condicional	Pretèrit Indefinit
Jo	sé	sabia	vaig saber	sabré	sabria	he sabut
Tu	saps	sabies	vas saber	sabràs	sabries	has sabut
l/Ella 'ostè	sap	sabia	va saber	sabrà	sabria	ha sabut
los.	sabem	sabíem	vam saber	sabrem	sabríem	hem sabut
'os.	sabeu	sabíeu	vau saber	sabreu	sabríeu	heu sabut
Ells/ lles / ostès	saben	sabien	van saber	sabran	sabrien	han sabut

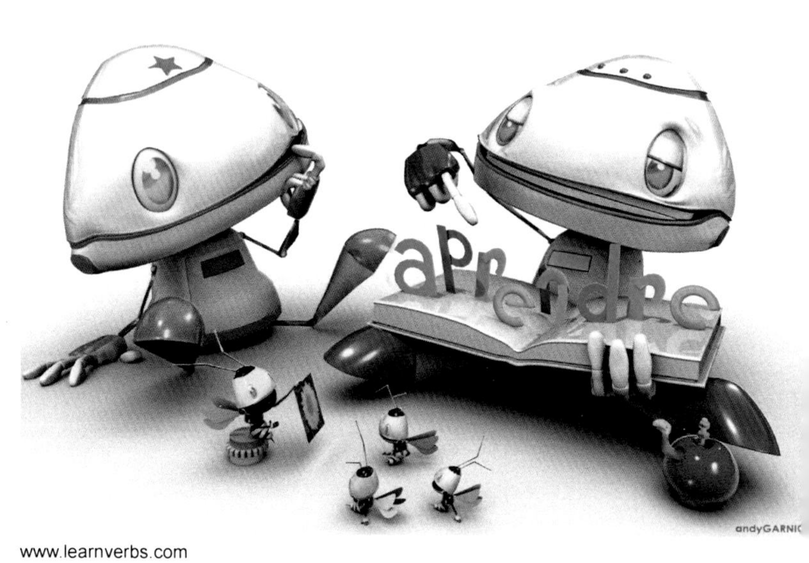

www.learnverbs.com

	Present	Pretèrit Imperfet	Pretèrit Perfet	Futur	Condicional	Pretèrit Indefinit
Jo	aprenc	aprenia	vaig aprendre	aprendré	aprendria	he aprè
Tu	aprens	aprenies	vas aprendre	aprendràs	aprendries	has aprè
Ell/Ella /Vostè	aprèn	aprenia	va aprendre	aprendrà	aprendria	ha aprè
Nos.	aprenem	apreníem	vam aprendre	aprendrem	aprendríem	hem après
Vos.	apreneu	apreníeu	vau aprendre	aprendreu	aprendríeu	heu apre
Ells/ Elles / Vostès	aprenen	aprenien	van aprendre	aprendran	aprendrien	han apre

vw.learnverbs.com

	Present	Pretèrit Imperfet	Pretèrit Perfet	Futur	Condicional	Pretèrit Indefinit
Jo	mento	mentia	vaig mentir	mentiré	mentiria	he mentit
Tu	ments	menties	vas mentir	mentiràs	mentiries	has mentit
ı/Ella ʼostè	ment	mentia	va mentir	mentirà	mentiria	ha mentit
ɬos.	mentim	mentíem	vam mentir	mentirem	mentiríem	hem mentit
ʼos.	mentiu	mentíeu	vau mentir	mentireu	mentiríeu	heu mentit
Ells/ les / ɔstès	menten	mentien	van mentir	mentiran	mentirien	han mentit

www.learnverbs.com

	Present	Pretèrit Imperfet	Pretèrit Perfet	Futur	Condicional	Pretèrit Indefinit
Jo	encenc	encenia	vaig encendre	encendré	encendria	he encè
Tu	encens	encenies	vas encendre	encendràs	encendries	has encè
Ell/Ella /Vostè	encén	encenia	va encendre	encendrà	encendria	ha encè
Nos.	encenem	enceníem	vam encendre	encendrem	encendríem	hem encès
Vos.	enceneu	enceníeu	vau encendre	encendreu	encendríeu	heu encès
Ells/ Elles / Vostès	encenen	encenien	van encendre	encendran	encendrien	han encès

/w.learnverbs.com

	Present	Pretèrit Imperfet	Pretèrit Perfet	Futur	Condicional	Pretèrit Indefinit
Jo	agrado	agradava	vaig agradar	agradaré	agradaria	he agradat
Tu	agrades	agradaves	vas agradar	agradaràs	agradaries	has agradat
l/Ella /ostè	agrada	agradava	va agradar	agradarà	agradaria	ha agradat
los.	agradem	agradàvem	vam agradar	agradarem	agradaríem	hem agradat
/os.	agradeu	agradàveu	vau agradar	agradareu	agradaríeu	heu agradat
:lls/ les / ostès	agraden	agradaven	van agradar	agradaran	agradarien	han agradat

www.learnverbs.com

	Present	Pretèrit Imperfet	Pretèrit Perfet	Futur	Condicional	Pretèrit Indefinit
Jo	perdo	perdia	vaig perdre	perdré	perdria	he perdu
Tu	perds	perdies	vas perdre	perdràs	perdries	has perdut
Ell/Ella /Vostè	perd	perdia	va perdre	perdrà	perdria	ha perdu
Nos.	perdem	perdíem	vam perdre	perdrem	perdríem	hem perdut
Vos.	perdeu	perdíeu	vau perdre	perdreu	perdríeu	heu perdut
Ells/ Elles / Vostès	perden	perdien	van perdre	perdran	perdrien	han perdut

ɴw.learnverbs.com

	Present	Pretèrit Imperfet	Pretèrit Perfet	Futur	Condicional	Pretèrit Indefinit
Jo	estimo	estimava	vaig estimar	estimaré	estimaria	he estimat
Tu	estimes	estimaves	vas estimar	estimaràs	estimaries	has estimat
l/Ella /ostè	estima	estimava	va estimar	estimarà	estimaria	ha estimat
los.	estimem	estimàvem	vam estimar	estimarem	estimaríem	hem estimat
/os.	estimeu	estimàveu	vau estimar	estimareu	estimaríeu	heu estimat
Ells/ lles / ostès	estimen	estimaven	van estimar	estimaran	estimarien	han estimat

www.learnverbs.com

	Present	Pretèrit Imperfet	Pretèrit Perfet	Futur	Condicional	Pretèrit Indefinit
Jo	faig	feia	vaig fer	faré	faria	he fet
Tu	fas	feies	vas fer	faràs	faries	has fet
Ell/Ella /Vostè	fa	feia	va fer	farà	faria	ha fet
Nos.	fem	fèiem	vam fer	farem	faríem	hem fet
Vos.	feu	fèieu	vau fer	fareu	faríeu	heu fet
Ells/ Elles / Vostès	fan	feien	van fer	faran	farien	han fet

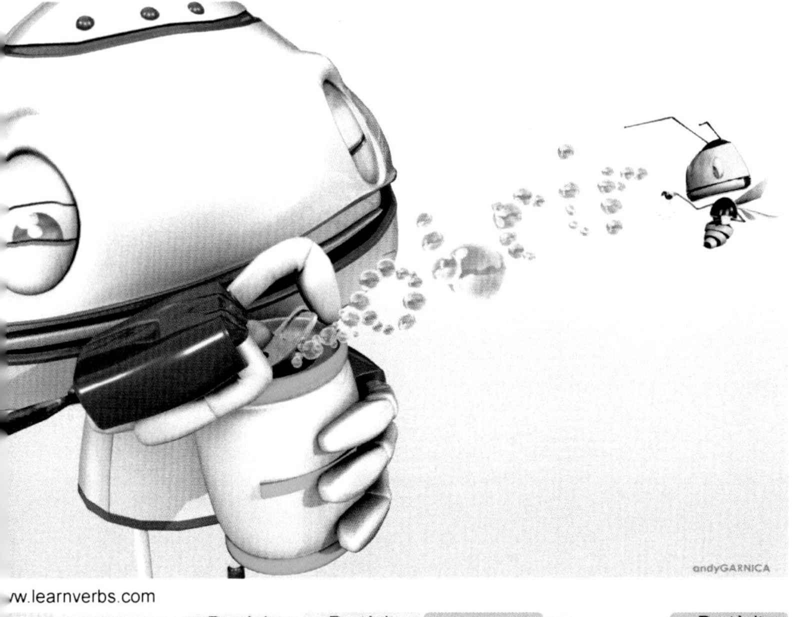

	Present	Pretèrit Imperfet	Pretèrit Perfet	Futur	Condicional	Pretèrit Indefinit
Jo	obro	obria	vaig obrir	obriré	obriria	he obert
Tu	obres	obries	vas obrir	obriràs	obriries	has obert
›l/Ella ›ostè	obre	obria	va obrir	obrirà	obriria	ha obert
›los.	obrim	obríem	vam obrir	obrirem	obriríem	hem obert
›os.	obriu	obríeu	vau obrir	obrireu	obriríeu	heu obert
›lls/ ›les / ›stès	obren	obrien	van obrir	obriran	obririen	han obert

www.learnverbs.com

	Present	Pretèrit Imperfet	Pretèrit Perfet	Futur	Condicional	Pretèrit Indefinit
Jo	endreço	endreçava	vaig endreçar	endreçaré	endreçaria	he endreça
Tu	endreces	endreçaves	vas endreçar	endreçaràs	endreçaries	has endreça
Ell/Ella /Vostè	endreça	endreçava	va endreçar	endreçarà	endreçaria	ha endreça
Nos.	endrecem	endreçàvem	vam endreçar	endreçarem	endreçaríem	hem endreça
Vos.	endreceu	endreçàveu	vau endreçar	endreçareu	endreçaríeu	heu endreça
Ells/ Elles / Vostès	endrecen	endreçaven	van endreçar	endreçaran	endreçarien	han endreça

ʌw.learnverbs.com

	Present	Pretèrit Imperfet	Pretèrit Perfet	Futur	Condicional	Pretèrit Indefinit
Jo	pinto	pintava	vaig pintar	pintaré	pintaria	he pintat
Tu	pintes	pintaves	vas pintar	pintaràs	pintaries	has pintat
l/Ella ʼostè	pinta	pintava	va pintar	pintarà	pintaria	ha pintat
ɿos.	pintem	pintàvem	vam pintar	pintarem	pintaríem	hem pintat
ʼos.	pinteu	pintàveu	vau pintar	pintareu	pintaríeu	heu pintat
Ells/ lles / ɔstès	pinten	pintaven	van pintar	pintaran	pintarien	han pintat

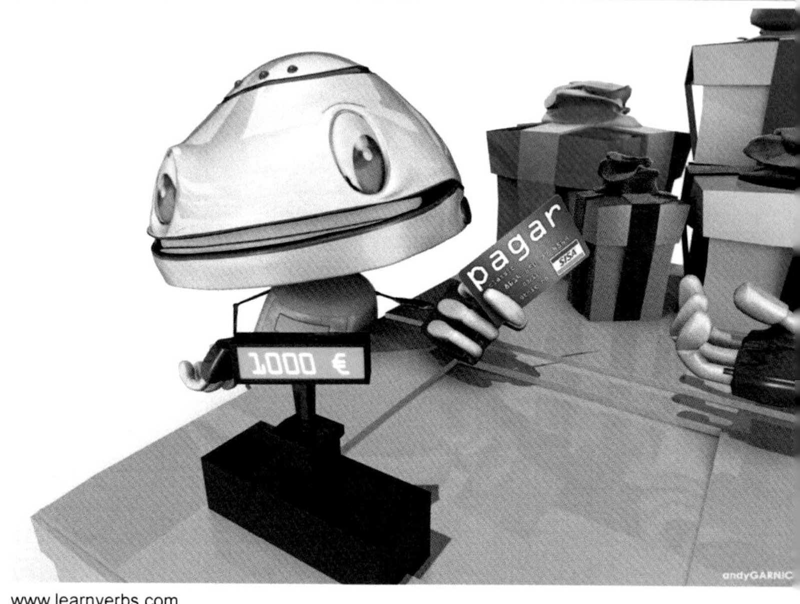

www.learnverbs.com

	Present	Pretèrit Imperfet	Pretèrit Perfet	Futur	Condicional	Pretèrit Indefinit
Jo	pago	pagava	vaig pagar	pagaré	pagaria	he paga
Tu	pagues	pagaves	vas pagar	pagaràs	pagaries	has paga
Ell/Ella /Vostè	paga	pagava	va pagar	pagarà	pagaria	ha paga
Nos.	paguem	pagàvem	vam pagar	pagarem	pagaríem	hem pagat
Vos.	pagueu	pagàveu	vau pagar	pagareu	pagaríeu	heu paga
Ells/ Elles / Vostès	paguen	pagaven	van pagar	pagaran	pagarien	han paga

vw.learnverbs.com

	Present	Pretèrit Imperfet	Pretèrit Perfet	Futur	Condicional	Pretèrit Indefinit
Jo	jugo	jugava	vaig jugar	jugaré	jugaria	he jugat
Tu	jugues	jugaves	vas jugar	jugaràs	jugaries	has jugat
l/Ella /ostè	juga	jugava	va jugar	jugarà	jugaria	ha jugat
los.	juguem	jugàvem	vam jugar	jugarem	jugaríem	hem jugat
/os.	jugueu	jugàveu	vau jugar	jugareu	jugaríeu	heu jugat
Ells/ lles / ostès	juguen	jugaven	van jugar	jugaran	jugarien	han jugat

www.learnverbs.com

	Present	Pretèrit Imperfet	Pretèrit Perfet	Futur	Condicional	Pretèrit Indefinit
Jo	poleixo	polia	vaig polir	poliré	poliria	he polit
Tu	poleixes	polies	vas polir	poliràs	poliries	has poli
Ell/Ella /Vostè	poleix	polia	va polir	polirà	poliria	ha polit
Nos.	polim	políem	vam polir	polirem	poliríem	hem pol
Vos.	poliu	políeu	vau polir	polireu	poliríeu	heu poli
Ells/ Elles / Vostès	poleixen	polien	van polir	poliran	polirien	han poli

w.learnverbs.com

	Present	Pretèrit Imperfet	Pretèrit Perfet	Futur	Condicional	Pretèrit Indefinit
Jo	poso	posava	vaig posar	posaré	posaria	he posat
Tu	poses	posaves	vas posar	posaràs	posaries	has posat
/Ella ostè	posa	posava	va posar	posarà	posaria	ha posat
los.	posem	posàvem	vam posar	posarem	posaríem	hem posat
'os.	poseu	posàveu	vau posar	posareu	posaríeu	heu posat
:lls/ les / stès	posen	posaven	van posar	posaran	posarien	han posat

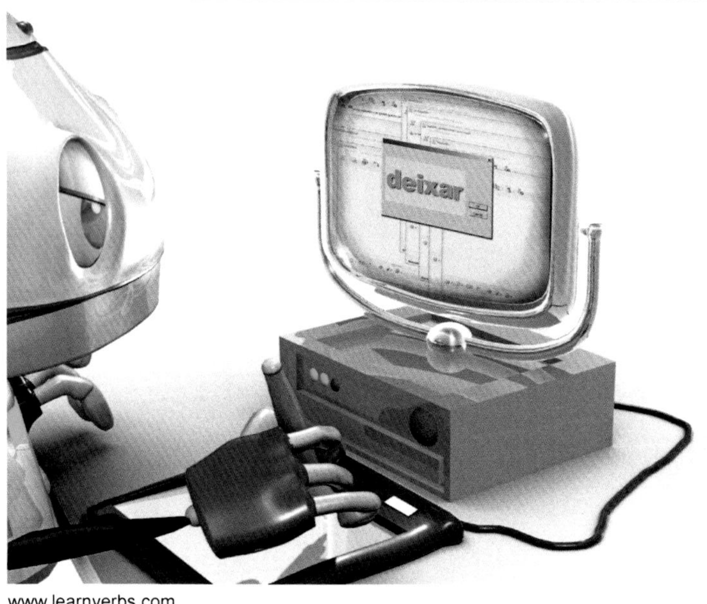

www.learnverbs.com

	Present	Pretèrit Imperfet	Pretèrit Perfet	Futur	Condicional	Pretèrit Indefinit
Jo	deixo	deixava	vaig deixar	deixaré	deixaria	he deixa
Tu	deixes	deixaves	vas deixar	deixaràs	deixaries	has deix
Ell/Ella /Vostè	deixa	deixava	va deixar	deixarà	deixaria	ha deixa
Nos.	deixem	deixàvem	vam deixar	deixarem	deixaríem	hem deixat
Vos.	deixeu	deixàveu	vau deixar	deixareu	deixaríeu	heu deixat
Ells/ Elles / Vostès	deixen	deixaven	van deixar	deixaran	deixarien	han deixat

/w.learnverbs.com

	Present	Pretèrit Imperfet	Pretèrit Perfet	Futur	Condicional	Pretèrit Indefinit
Jo						
Tu						
l/Ella /ostè	plou	plovia	va ploure	plourà	plouria	ha plogut
los.						
/os.						
Ells/ lles / ostès						

www.learnverbs.com

	Present	Pretèrit Imperfet	Pretèrit Perfet	Futur	Condicional	Pretèrit Indefinit
Jo	llegeixo	llegia	vaig llegir	llegiré	llegiria	he llegi
Tu	llegeixes	llegies	vas llegir	llegiràs	llegiries	has lleg
Ell/Ella /Vostè	llegeix	llegia	va llegir	llegirà	llegiria	ha llegi
Nos.	llegim	llegíem	vam llegir	llegirem	llegiríem	hem lleg
Vos.	llegiu	llegíeu	vau llegir	llegireu	llegiríeu	heu lleg
Ells/ Elles / Vostès	llegeixen	llegien	van llegir	llegiran	llegirien	han lleg

/w.learnverbs.com

	Present	Pretèrit Imperfet	Pretèrit Perfet	Futur	Condicional	Pretèrit Indefinit
Jo	rebo	rebia	vaig rebre	rebré	rebria	he rebut
Tu	rebs	rebies	vas rebre	rebràs	rebries	has rebut
/Ella 'ostè	rep	rebia	va rebre	rebrà	rebria	ha rebut
los.	rebem	rebíem	vam rebre	rebrem	rebríem	hem rebut
'os.	rebeu	rebíeu	vau rebre	rebreu	rebríeu	heu rebut
Ells/ les / ostès	reben	rebien	van rebre	rebran	rebrien	han rebut

www.learnverbs.com

	Present	Pretèrit Imperfet	Pretèrit Perfet	Futur	Condicional	Pretèrit Indefinit
Jo	gravo	gravava	vaig gravar	gravaré	gravaria	he grava
Tu	graves	gravaves	vas gravar	gravaràs	gravaries	has gravat
Ell/Ella /Vostè	grava	gravava	va gravar	gravarà	gravaria	ha grava
Nos.	gravem	gravàvem	vam gravar	gravarem	gravaríem	hem gravat
Vos.	graveu	gravàveu	vau gravar	gravareu	gravaríeu	heu gravat
Ells/ Elles / Vostès	graven	gravaven	van gravar	gravaran	gravarien	han gravat

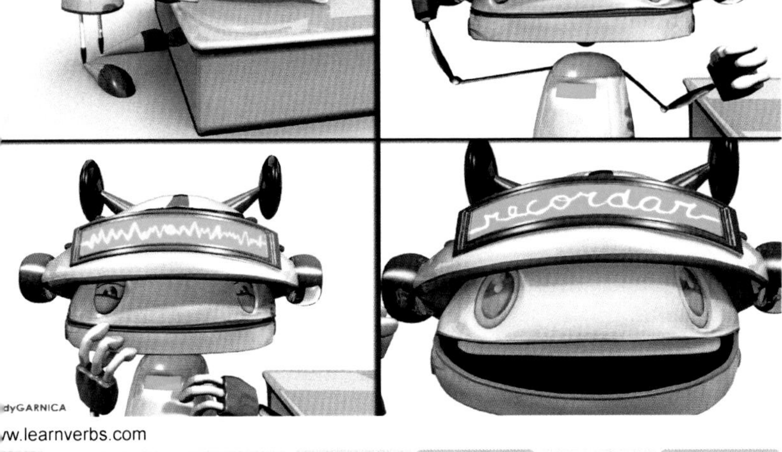

ww.learnverbs.com

	Present	Pretèrit Imperfet	Pretèrit Perfet	Futur	Condicional	Pretèrit Indefinit
Jo	recordo	recordava	vaig recordar	recordaré	recordaria	he recordat
Tu	recordes	recordaves	vas recordar	recordaràs	recordaries	has recordat
l/Ella 'ostè	recorda	recordava	va recordar	recordarà	recordaria	ha recordat
ıos.	recordem	recordàvem	vam recordar	recordarem	recordaríem	hem recordat
'os.	recordeu	recordàveu	vau recordar	recordareu	recordaríeu	heu recordat
Ells/ lles / stès	recorden	recordaven	van recordar	recordaran	recordarien	han recordat

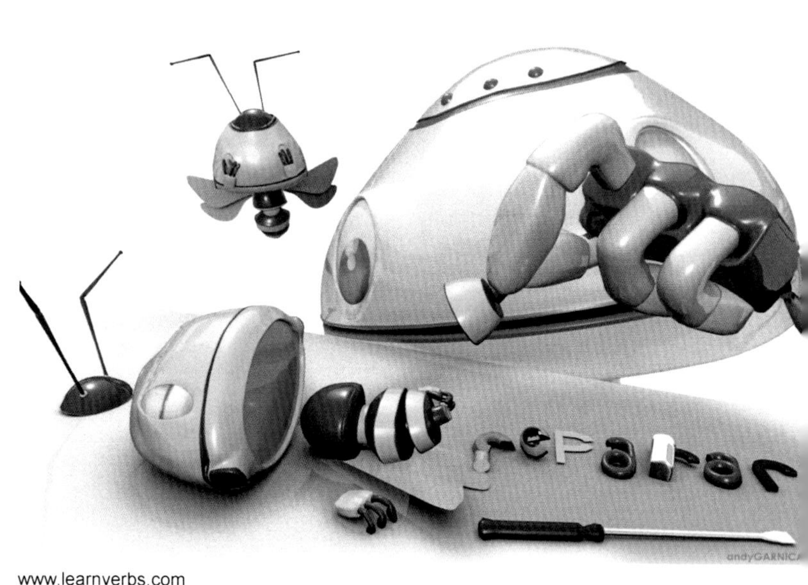

www.learnverbs.com

	Present	Pretèrit Imperfet	Pretèrit Perfet	Futur	Condicional	Pretèrit Indefinit
Jo	reparo	reparava	vaig reparar	repararé	repararia	he repar
Tu	repares	reparaves	vas reparar	repararàs	repararies	has reparat
Ell/Ella /Vostè	repara	reparava	va reparar	repararà	repararia	ha repar
Nos.	reparem	reparàvem	vam reparar	repararem	repararíem	hem reparat
Vos.	repareu	reparàveu	vau reparar	reparareu	repararíeu	heu reparat
Ells/ Elles / Vostès	reparen	reparaven	van reparar	repararan	repararien	han reparat

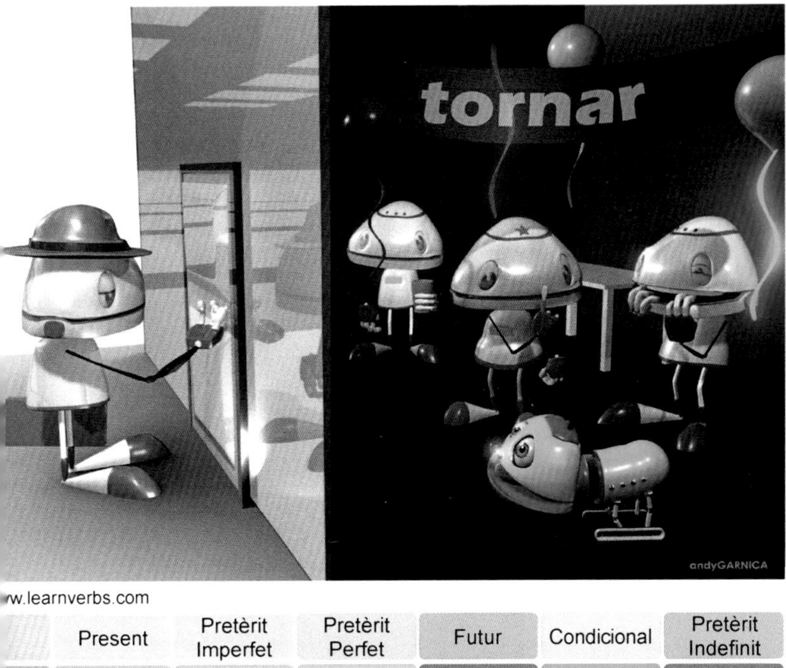

	Present	Pretèrit Imperfet	Pretèrit Perfet	Futur	Condicional	Pretèrit Indefinit
Jo	torno	tornava	vaig tornar	tornaré	tornaria	he tornat
Tu	tornes	tornaves	vas tornar	tornaràs	tornaries	has tornat
l/Ella /ostè	torna	tornava	va tornar	tornarà	tornaria	ha tornat
los.	tornem	tornàvem	vam tornar	tornarem	tornaríem	hem tornat
/os.	torneu	tornàveu	vau tornar	tornareu	tornaríeu	heu tornat
Ells/ les / stès	tornen	tornaven	van tornar	tornaran	tornarien	han tornat

www.learnverbs.com

	Present	Pretèrit Imperfet	Pretèrit Perfet	Futur	Condicional	Pretèrit Indefinit
Jo	corro	corria	vaig córrer	correré	correria	he correg
Tu	corres	corries	vas córrer	correràs	correries	has corregu
Ell/Ella /Vostè	corre	corria	va córrer	correrà	correria	ha correg
Nos.	correm	corríem	vam córrer	correrem	correríem	hem corregu
Vos.	correu	corríeu	vau córrer	correreu	correríeu	heu corregu
Ells/ Elles / Vostès	corren	corrien	van córrer	correran	correrien	han corregu

ww.learnverbs.com

	Present	Pretèrit Imperfet	Pretèrit Perfet	Futur	Condicional	Pretèrit Indefinit
Jo	crido	cridava	vaig cridar	cridaré	cridaria	he cridat
Tu	crides	cridaves	vas cridar	cridaràs	cridaries	has cridat
l/Ella Vostè	crida	cridava	va cridar	cridarà	cridaria	ha cridat
Nos.	cridem	cridàvem	vam cridar	cridarem	cridaríem	hem cridat
Vos.	crideu	cridàveu	vau cridar	cridareu	cridaríeu	heu cridat
Ells/ Elles / Vostès	criden	cridaven	van cridar	cridaran	cridarien	han cridat

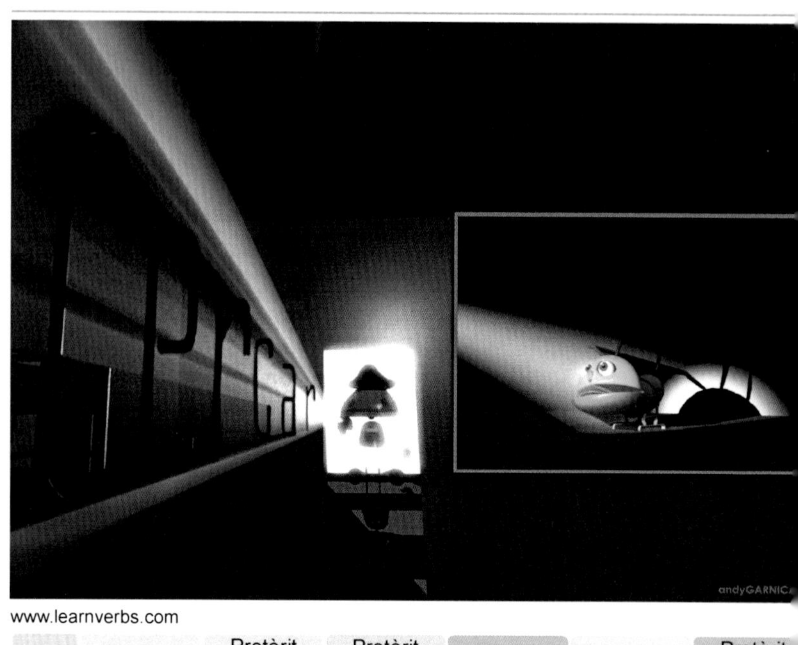

www.learnverbs.com

	Present	Pretèrit Imperfet	Pretèrit Perfet	Futur	Condicional	Pretèrit Indefinit
Jo	cerco	cercava	vaig cercar	cercaré	cercaria	he cerca
Tu	cerques	cercaves	vas cercar	cercaràs	cercaries	has cercat
Ell/Ella /Vostè	cerca	cercava	va cercar	cercarà	cercaria	ha cerca
Nos.	cerquem	cercàvem	vam cercar	cercarem	cercaríem	hem cercat
Vos.	cerqueu	cercàveu	vau cercar	cercareu	cercaríeu	heu cercat
Ells/ Elles / Vostès	cerquen	cercaven	van cercar	cercaran	cercarien	han cercat

	Present	Pretèrit Imperfet	Pretèrit Perfet	Futur	Condicional	Pretèrit Indefinit
Jo	veig	veia	vaig veure	veuré	veuria	he vist
Tu	veus	veies	vas veure	veuràs	veuries	has vist
l/Ella /ostè	veu	veia	va veure	veurà	veuria	ha vist
los.	veiem	vèiem	vam veure	veurem	veuríem	hem vist
/os.	veieu	vèieu	vau veure	veureu	veuríeu	heu vist
Ells/ les / stès	veuen	veien	van veure	veuran	veurien	han vist

www.learnverbs.com

	Present	Pretèrit Imperfet	Pretèrit Perfet	Futur	Condicional	Pretèrit Indefinit
Jo	separo	separava	vaig separar	separaré	separaria	he separat
Tu	separes	separaves	vas separar	separaràs	separaries	has separat
Ell/Ella /Vostè	separa	separava	va separar	separarà	separaria	ha separat
Nos.	separem	separàvem	vam separar	separarem	separaríem	hem separat
Vos.	separeu	separàveu	vau separar	separareu	separaríeu	heu separat
Ells/ Elles / Vostès	separen	separaven	van separar	separaran	separarien	han separat

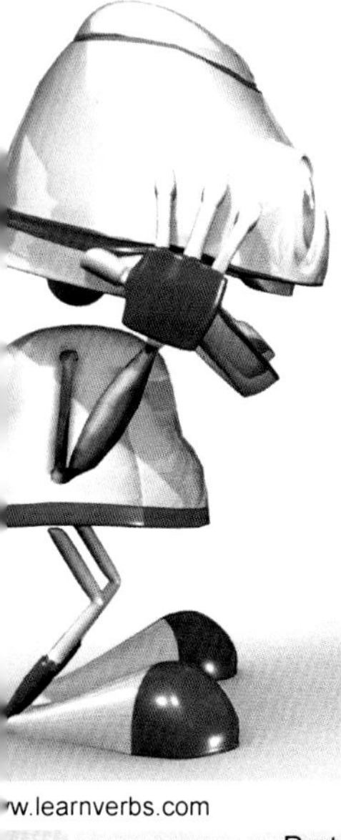

	Present	Pretèrit Imperfet	Pretèrit Perfet	Futur	Condicional	Pretèrit Indefinit
Jo	ensenyo	ensenyava	vaig ensenyar	ensenyaré	ensenyaria	he ensenyat
Tu	ensenyes	ensenyaves	vas ensenyar	ensenyaràs	ensenyaries	has ensenyat
l/Ella 'ostè	ensenya	ensenyava	va ensenyar	ensenyarà	ensenyaria	ha ensenyat
los.	ensenyem	ensenyàvem	vam ensenyar	ensenyarem	ensenyaríem	hem ensenyat
'os.	ensenyeu	ensenyàveu	vau ensenyar	ensenyareu	ensenyaríeu	heu ensenyat
:lls/ les / ɔstès	ensenyen	ensenyaven	van ensenyar	ensenyaran	ensenyarien	han ensenyat

andyGARNICA

www.learnverbs.com

	Present	Pretèrit Imperfet	Pretèrit Perfet	Futur	Condicional	Pretèrit Indefinit
Jo	dutxo	dutxava	vaig dutxar	dutxaré	dutxaria	he dutxa
Tu	dutxes	dutxaves	vas dutxar	dutxaràs	dutxaries	has dutxat
Ell/Ella /Vostè	dutxa	dutxava	va dutxar	dutxarà	dutxaria	ha dutxa
Nos.	dutxem	dutxàvem	vam dutxar	dutxarem	dutxaríem	hem dutxat
Vos.	dutxeu	dutxàveu	vau dutxar	dutxareu	dutxaríeu	heu dutxat
Ells/ Elles / Vostès	dutxen	dutxaven	van dutxar	dutxaran	dutxarien	han dutxat

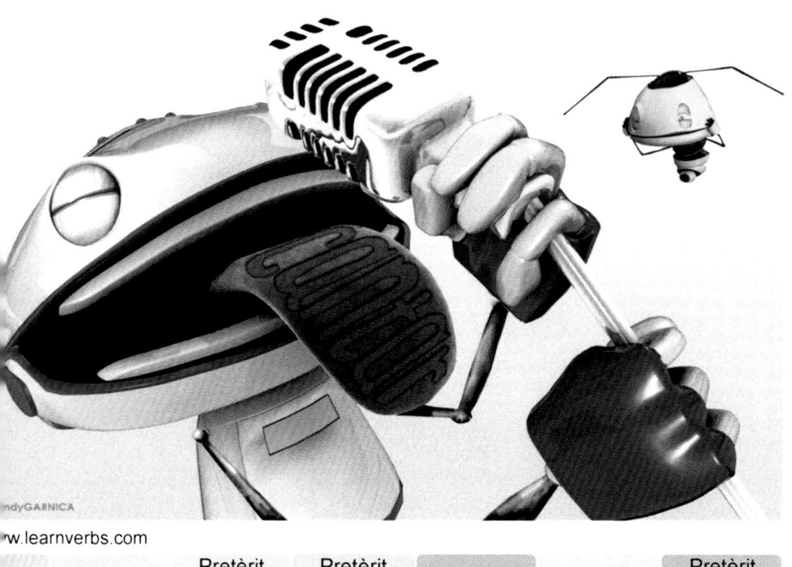

	Present	Pretèrit Imperfet	Pretèrit Perfet	Futur	Condicional	Pretèrit Indefinit
Jo	canto	cantava	vaig cantar	cantaré	cantaria	he cantat
Tu	cantes	cantaves	vas cantar	cantaràs	cantaries	has cantat
l/Ella 'ostè	canta	cantava	va cantar	cantarà	cantaria	ha cantat
los.	cantem	cantàvem	vam cantar	cantarem	cantaríem	hem cantat
'os.	canteu	cantàveu	vau cantar	cantareu	cantaríeu	heu cantat
:lls/ les / ›stès	canten	cantaven	van cantar	cantaran	cantarien	han cantat

www.learnverbs.com

	Present	Pretèrit Imperfet	Pretèrit Perfet	Futur	Condicional	Pretèrit Indefinit
Jo	sec	seia	vaig seure	seuré	seuria	he segu
Tu	seus	seies	vas seure	seuràs	seuries	has segu
Ell/Ella /Vostè	seu	seia	va seure	seurà	seuria	ha segu
Nos.	seiem	sèiem	vam seure	seurem	seuríem	hem segut
Vos.	seieu	sèieu	vau seure	seureu	seuríeu	heu segu
Ells/ Elles / Vostès	seuen	seien	van seure	seuran	seurien	han segu

	Present	Pretèrit Imperfet	Pretèrit Perfet	Futur	Condicional	Pretèrit Indefinit
Jo	dormo	dormia	vaig dormir	dormiré	dormiria	he dormit
Tu	dorms	dormies	vas dormir	dormiràs	dormiries	has dormit
·/Ella ·ostè	dorm	dormia	va dormir	dormirà	dormiria	ha dormit
·los.	dormim	dormíem	vam dormir	dormirem	dormiríem	hem dormit
·os.	dormiu	dormíeu	vau dormir	dormireu	dormiríeu	heu dormit
·lls/ ·les / ·stès	dormen	dormien	van dormir	dormiran	dormirien	han dormit

www.learnverbs.com

	Present	Pretèrit Imperfet	Pretèrit Perfet	Futur	Condicional	Pretèrit Indefinit
Jo	començo	començava	vaig començar	començaré	començaria	he comença
Tu	comences	començaves	vas començar	començaràs	començaries	has comença
Ell/Ella /Vostè	comença	començava	va començar	començarà	començaria	ha comença
Nos.	comencem	començàvem	vam començar	començarem	començaríem	hem comença
Vos.	comenceu	començàveu	vau començar	començareu	començaríeu	heu comença
Ells/ Elles / Vostès	comencen	començaven	van començar	començaran	començarien	han comença

ww.learnverbs.com

	Present	Pretèrit Imperfet	Pretèrit Perfet	Futur	Condicional	Pretèrit Indefinit
Jo	aturo	aturava	vaig aturar	aturaré	aturaria	he aturat
Tu	atures	aturaves	vas aturar	aturaràs	aturaries	has aturat
l/Ella 'ostè	atura	aturava	va aturar	aturarà	aturaria	ha aturat
los.	aturem	aturàvem	vam aturar	aturarem	aturaríem	hem aturat
'os.	atureu	aturàveu	vau aturar	aturareu	aturaríeu	heu aturat
Ells/ 'les / ostès	aturen	aturaven	van aturar	aturaran	aturarien	han aturat

www.learnverbs.com

	Present	Pretèrit Imperfet	Pretèrit Perfet	Futur	Condicional	Pretèrit Indefinit
Jo	passejo	passejava	vaig passejar	passejaré	passejaria	he passeja
Tu	passeges	passejaves	vas passejar	passejaràs	passejaries	has passeja
Ell/Ella /Vostè	passeja	passejava	va passejar	passejarà	passejaria	ha passeja
Nos.	passegem	passejàvem	vam passejar	passejarem	passejaríem	hem passeja
Vos.	passegeu	passejàveu	vau passejar	passejareu	passejaríeu	heu passeja
Ells/ Elles / Vostès	passegen	passejaven	van passejar	passejaran	passejarien	han passeja

w.learnverbs.com

	Present	Pretèrit Imperfet	Pretèrit Perfet	Futur	Condicional	Pretèrit Indefinit
Jo	estudio	estudiava	vaig estudiar	estudiaré	estudiaria	he estudiat
Tu	estudies	estudiaves	vas estudiar	estudiaràs	estudiaries	has estudiat
/Ella ostè	estudia	estudiava	va estudiar	estudiarà	estudiaria	ha estudiat
los.	estudiem	estudiàvem	vam estudiar	estudiarem	estudiaríem	hem estudiat
'os.	estudieu	estudiàveu	vau estudiar	estudiareu	estudiaríeu	heu estudiat
Ells/ les / ostès	estudien	estudiaven	van estudiar	estudiaran	estudiarien	han estudiat

www.learnverbs.com

	Present	Pretèrit Imperfet	Pretèrit Perfet	Futur	Condicional	Pretèrit Indefinit
Jo	nedo	nedava	vaig nedar	nedaré	nedaria	he neda
Tu	nedes	nedaves	vas nedar	nedaràs	nedaries	has ned
Ell/Ella /Vostè	neda	nedava	va nedar	nedarà	nedaria	ha neda
Nos.	nedem	nedàvem	vam nedar	nedarem	nedaríem	hem nedat
Vos.	nedeu	nedàveu	vau nedar	nedareu	nedaríeu	heu ned
Ells/ Elles / Vostès	neden	nedaven	van nedar	nedaran	nedarien	han ned

w.learnverbs.com

	Present	Pretèrit Imperfet	Pretèrit Perfet	Futur	Condicional	Pretèrit Indefinit
Jo	parlo	parlava	vaig parlar	parlaré	parlaria	he parlat
Tu	parles	parlaves	vas parlar	parlaràs	parlaries	has parlat
/Ella ostè	parla	parlava	va parlar	parlarà	parlaria	ha parlat
os.	parlem	parlàvem	vam parlar	parlarem	parlaríem	hem parlat
os.	parleu	parlàveu	vau parlar	parlareu	parlaríeu	heu parlat
lls/ les / stès	parlen	parlaven	van parlar	parlaren	parlarien	han parlat

www.learnverbs.com

	Present	Pretèrit Imperfet	Pretèrit Perfet	Futur	Condicional	Pretèrit Indefinit
Jo	avaluo	avaluava	vaig avaluar	avaluaré	avaluaria	he avalua
Tu	avalues	avaluaves	vas avaluar	avaluaràs	avaluaries	has avalua
Ell/Ella /Vostè	avalua	avaluava	va avaluar	avaluarà	avaluaria	ha avalua
Nos.	avaluem	avaluàvem	vam avaluar	avaluarem	avaluaríem	hem avalua
Vos.	avalueu	avaluàveu	vau avaluar	avaluareu	avaluaríeu	heu avalua
Ells/ Elles / Vostès	avaluen	avaluaven	van avaluar	avaluaran	avaluarien	han avalua

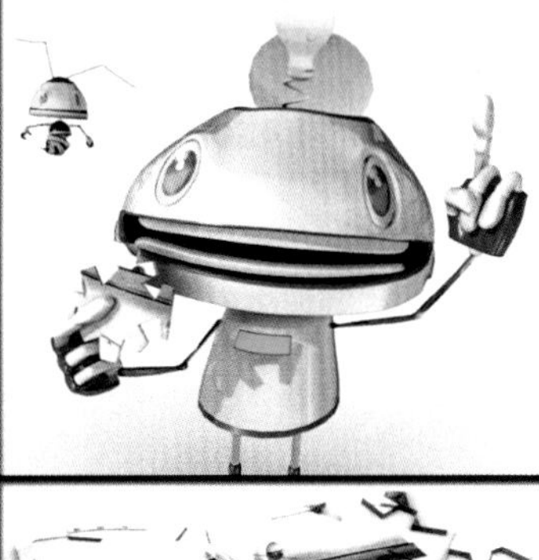

w.learnverbs.com

	Present	Pretèrit Imperfet	Pretèrit Perfet	Futur	Condicional	Pretèrit Indefinit
Jo	penso	pensava	vaig pensar	pensaré	pensaria	he pensat
Tu	penses	pensaves	vas pensar	pensaràs	pensaries	has pensat
/Ella /ostè	pensa	pensava	va pensar	pensarà	pensaria	ha pensat
ıos.	pensem	pensàvem	vau pensar	pensarem	pensaríem	hem pensat
/os.	penseu	pensàveu	vau pensar	pensareu	pensaríeu	heu pensat
Ells/ lles / ostès	pensen	pensaven	van pensar	pensaran	pensarien	han pensat

www.learnverbs.com

	Present	Pretèrit Imperfet	Pretèrit Perfet	Futur	Condicional	Pretèrit Indefinit
Jo	viatjo	viatjava	vaig viatjar	viatjaré	viatjaria	he viatj
Tu	viatges	viatjaves	vas viatjar	viatjaràs	viatjaries	has viatj
Ell/Ella /Vostè	viatga	viatjava	va viatjar	viatjarà	viatjaria	ha viatj
Nos.	viatgem	viatjàvem	vam viatjar	viatjarem	viatjaríem	hem viatjat
Vos.	viatgeu	viatjàveu	vau viatjar	viatjareu	viatjaríeu	heu viatj
Ells/ Elles / Vostès	viatgen	viatjaven	van viatjar	viatjaran	viatjarien	han viatj

andyGARNICA

'w.learnverbs.com

	Present	Pretèrit Imperfet	Pretèrit Perfet	Futur	Condicional	Pretèrit Indefinit
Jo	ensopego	ensopegava	vaig ensopegar	ensopegaré	ensopegaria	he ensopegat
Tu	ensopegues	ensopegaves	vas ensopegar	ensopegaràs	ensopegaries	has ensopegat
/Ella 'ostè	ensopega	ensopegava	va ensopegar	ensopegarà	ensopegaria	ha ensopegat
los.	ensopeguem	ensopegàvem	vam ensopegar	ensopegarem	ensopegaríem	hem ensopegat
'os.	ensopegueu	ensopegàveu	vau ensopegar	ensopegareu	ensopegaríeu	heu ensopegat
:lls/ les / ›stès	ensopeguen	ensopegaven	van ensopegar	ensopegaran	ensopegarien	han ensopegat

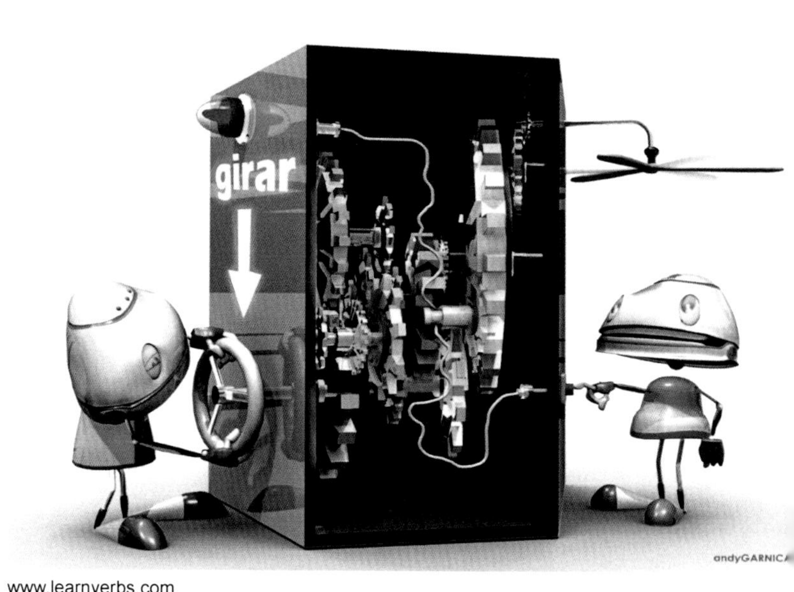

www.learnverbs.com

	Present	Pretèrit Imperfet	Pretèrit Perfet	Futur	Condicional	Pretèrit Indefinit
Jo	giro	girava	vaig girar	giraré	giraria	he gira
Tu	gires	giraves	vas girar	giraràs	giraries	has gira
Ell/Ella /Vostè	gira	girava	va girar	girarà	giraria	ha gira
Nos.	girem	giràvem	vam girar	girarem	giraríem	hem gira
Vos.	gireu	giràveu	vau girar	girareu	giraríeu	heu gira
Ells/ Elles / Vostès	giren	giraven	van girar	giraran	girarien	han gira

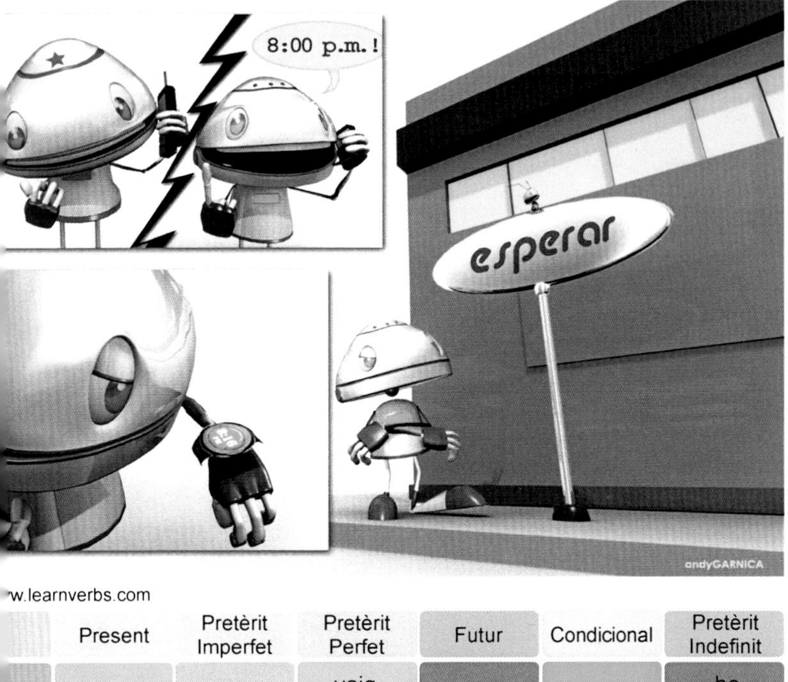

w.learnverbs.com

	Present	Pretèrit Imperfet	Pretèrit Perfet	Futur	Condicional	Pretèrit Indefinit
Jo	espero	esperava	vaig esperar	esperaré	esperaria	he esperat
Tu	esperes	esperaves	vas esperar	esperaràs	esperaries	has esperat
/Ella /ostè	espera	esperava	va esperar	esperarà	esperaria	ha esperat
los.	esperem	esperàvem	vam esperar	esperarem	esperaríem	hem esperat
/os.	espereu	esperàveu	vau esperar	esperareu	esperaríeu	heu esperat
Ells/ lles / ostès	esperen	esperaven	van esperar	esperaran	esperarien	han esperat

www.learnverbs.com

	Present	Pretèrit Imperfet	Pretèrit Perfet	Futur	Condicional	Pretèrit Indefinit
Jo	desperto	despertava	vaig despertar	despertaré	despertaria	he despert
Tu	despertes	despertaves	vas despertar	despertaràs	despertaries	has desperta
Ell/Ella /Vostè	desperta	despertava	va despertar	despertarà	despertaria	ha desperta
Nos.	despertem	despertàvem	vam despertar	despertarem	despertaríem	hem desperta
Vos.	desperteu	despertàveu	vau despertar	despertareu	despertaríeu	heu desperta
Ells/ Elles / Vostès	desperten	despertaven	van despertar	despertaran	despertarien	han desperta

w.learnverbs.com

	Present	Pretèrit Imperfet	Pretèrit Perfet	Futur	Condicional	Pretèrit Indefinit
Jo	camino	caminava	vaig caminar	caminaré	caminaria	he caminat
Tu	camines	caminaves	vas caminar	caminaràs	caminaries	has caminat
/Ella 'ostè	camina	caminava	va caminar	caminarà	caminaria	ha caminat
los.	caminem	caminàvem	vam caminar	caminarem	caminaríem	hem caminat
'os.	camineu	caminàveu	vau caminar	caminareu	caminaríeu	heu caminat
Ells/ les / stès	caminen	caminaven	van caminar	caminaran	caminarien	han caminat

andyGARNIC

www.learnverbs.com

	Present	Pretèrit Imperfet	Pretèrit Perfet	Futur	Condicional	Pretèrit Indefinit
Jo	vull	volia	vaig voler	voldré	voldria	he volgu
Tu	vols	volies	vas voler	voldràs	voldries	has volg
Ell/Ella /Vostè	vol	volia	van voler	voldrà	voldria	ha volgu
Nos.	volem	volíem	vam voler	voldrem	voldríem	hem volgut
Vos.	voleu	volíeu	vau voler	voldreu	voldríeu	heu volgut
Ells/ Elles / Vostès	volen	volien	van voler	voldran	voldrien	han volgut

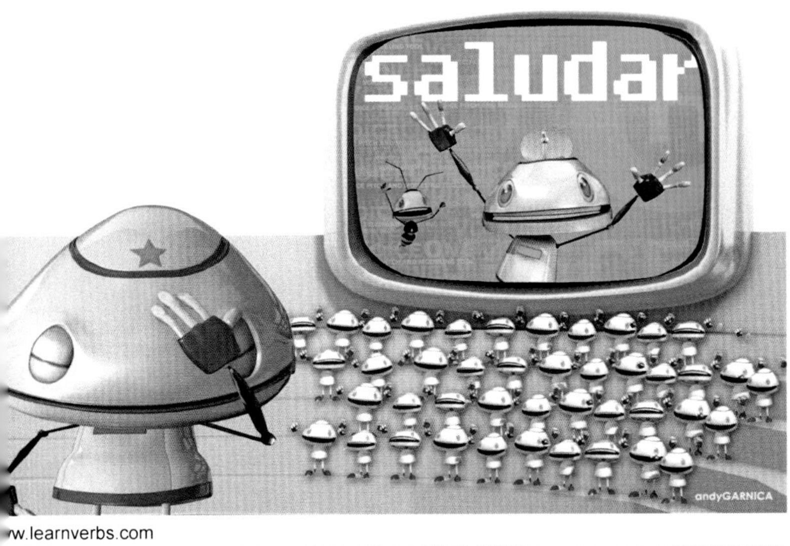

ʷw.learnverbs.com

	Present	Pretèrit Imperfet	Pretèrit Perfet	Futur	Condicional	Pretèrit Indefinit
Jo	saludo	saludava	vaig saludar	saludaré	saludaria	he saludat
Tu	saludes	saludaves	vas saludar	saludaràs	saludaries	has saludat
/Ella ʼostè	saluda	saludava	va saludar	saludarà	saludaria	ha saludat
ɪos.	saludem	saludàvem	vam saludar	saludarem	saludaríem	hem saludat
ʼos.	saludeu	saludàveu	vau saludar	saludareu	saludaríeu	heu saludat
Ells/ les / ɔstès	saluden	saludaven	van saludar	saludaran	saludarien	han saludat

www.learnverbs.com

	Present	Pretèrit Imperfet	Pretèrit Perfet	Futur	Condicional	Pretèrit Indefinit
Jo	vigilo	vigilava	vaig vigilar	vigilaré	vigilaria	he vigila
Tu	vigiles	vigilaves	vas vigilar	vigilaràs	vigilaries	has vigil
Ell/Ella /Vostè	vigila	vigilava	va vigilar	vigilarà	vigilaria	ha vigila
Nos.	vigilem	vigilàvem	vam vigilar	vigilarem	vigilaríem	hem vigilat
Vos.	vigileu	vigilàveu	vau vigilar	vigilareu	vigilaríeu	heu vigil
Ells/ Elles / Vostès	vigilen	vigilaven	van vigilar	vigilaran	vigilarien	han vigil

w.learnverbs.com

	Present	Pretèrit Imperfet	Pretèrit Perfet	Futur	Condicional	Pretèrit Indefinit
Jo	guanyo	guanyava	vaig guanyar	guanyaré	guanyaria	he guanyat
Tu	guanyes	guanyaves	vas guanyar	guanyaràs	guanyaries	has guanyat
/Ella ostè	guanya	guanyava	va guanyar	guanyarà	guanyaria	ha guanyat
os.	guanyem	guanyàvem	vam guanyar	guanyarem	guanyaríem	hem guanyat
os.	guanyeu	guanyàveu	vau guanyar	guanyareu	guanyaríeu	heu guanyat
lls/ les / stès	guanyen	guanyaven	van guanyar	guanyaran	guanyarien	han guanyat

www.learnverbs.com

	Present	Pretèrit Imperfet	Pretèrit Perfet	Futur	Condicional	Pretèrit Indefini
Jo	escric	escrivia	vaig escriure	escriuré	escriuria	he escr
Tu	escrius	escrivies	vas escriure	escriuràs	escriuries	has esc
Ell/Ella /Vostè	escriu	escrivia	va escriure	escriurà	escriuria	ha escr
Nos.	escrivim	escrivíem	vam escriure	escriurem	escriuríem	hem escrit
Vos.	escriviu	escrivíeu	vau escriure	escriureu	escriuríeu	heu esc
Ells/ Elles / Vostès	escriuen	escrivien	van escriure	escriuran	escriurien	han esc

Index

English

Index

Catalan